Creare il Giocatore Di Basket Ideale:

Impara Trucchi E Segreti Utilizzati Dai Migliori Giocatori Di Basket Professionisti Ed Allenatori Per Migliorare Il Tuo Esercizio Fisico, L'alimentazione, E La Resistenza Mentale

di

Joseph Correa

Atleta Professionista Ed Allenatore

DIRITTO D'AUTORE

RINGRAZIAMENTI

Alla mia famiglia, per il loro amore incondizionato e il sostegno durante la creazione e lo sviluppo di questo libro.

Creare il Giocatore Di Basket Ideale:

Impara Trucchi E Segreti Utilizzati Dai Migliori Giocatori Di Basket Professionisti Ed Allenatori Per Migliorare Il Tuo Esercizio Fisico, L'alimentazione, E La Resistenza Mentale

di

Joseph Correa

Atleta Professionista Ed Allenatore

CENNI SULL'AUTORE

Dopo aver praticato sport come atleta professionista, ho capito che cosa passa per la mente di un giocatore e quanto difficile possa essere cercare di migliorare le prestazioni e portarle ad un livello successivo.

I tre maggiori cambiamenti nella mia vita sono giunti per migliorare la mia forza e l'esercizio fisico, una maggiore flessibilità e **una maggiore capacità di concentrarmi attraverso la meditazione e la visualizzazione.**

La meditazione e la visualizzazione mi hanno aiutato a controllare le mie emozioni e simulare competizioni dal vivo prima ancora di affrontarle.

L'aggiunta dello yoga e periodi prolungati di stretching hanno ridotto le mie ferite quasi a zero e hanno migliorato la mia reazione e la velocità.

Sono anche riuscito a migliorare la mia alimentazione è questo mi ha permesso di continuare a svolgere lo sport al meglio in condizioni climatiche difficili che avrebbero potuto colpirmi causando crampi e strappi muscolari.

La meditazione e la visualizzazione cambieranno decisamente tutto, non importa quale disciplina sportiva tu stia seguendo. Vedrai quanto può essere potente la disciplina una volta preso il ritmo e dedicando almeno 10 minuti al giorno alla respirazione, raccogliendo li pensiero, e concentrandoti.

INTRODUZIONE

Per raggiungere il tuo vero potenziale è necessario essere in una condizione fisica e mentale ottimali e per fare questo è necessario avviare un piano organizzato che ti aiuterà a sviluppare la tua forza, l'esercizio, l'alimentazione corretta e la resistenza mentale. Questo libro ti aiuterà a farlo. Mangiare correttamente e allenarsi nel modo giusto sono due dei pezzi del puzzle, ma è necessario il terzo pezzo per rendere il tutto più completo ed efficiente. Il terzo pezzo è la resistenza mentale che potrai ottenere attraverso la meditazione e le tecniche di visualizzazione insegnate in questo libro.

Questo libro ti fornirà le seguenti nozioni:
- calendario per un allenamento normale ed intenso

- esercizi dinamici di riscaldamento

- esercizi per aumentare le prestazioni

- esercizi attivi di recupero

- calendario dietetico per aumentare la massa muscolare

- calendario dietetico per bruciare il grasso

- ricette per la costruzione del muscolo

- ricette brucia-grassi

- tecniche di respirazione **avanzate** per migliorare le prestazioni

- tecniche di meditazione

- tecniche di visualizzazione

- **sessioni di visualizzazione** per migliorare le prestazioni

L'esercizio fisico e l'allenamento, un'alimentazione intelligente e le tecniche di meditazione/visualizzazione avanzate sono le tre chiavi per ottenere prestazioni ottimali. La maggior parte degli atleti sono carenti in uno o due di questi ingredienti fondamentali, ma se prenderai la decisione definitiva di cambiare stile di vita, potrai raggiungere prestazioni "ideali" per te.

Gli atleti che iniziano questo piano di allenamento osserveranno questi cambiamenti:

- Aumento della crescita muscolare

- Livelli di stress ridotti

- Maggiore forza, movimento e reazione

- Una migliore capacità di concentrarsi per lunghi periodi di tempo

- Maggiore velocità e resistenza

- Minore affaticamento muscolare

- Ripresa più celere dopo gare o allenamenti

- Maggiore flessibilità

- Capacità aumentata di superare il nervosismo

- Maggior controllo sulla respirazione

- Maggior controllo delle emozioni sotto pressione

Fai la scelta. Applica la modifica. Crea una versione "ideale" di te stesso.

INDICE

CAPITOLO 4: I MIGLIORI TIPI DI MEDITAZIONE NEL BASKET

CAPITOLO 5: COME PREPARARTI PER LA MEDITAZIONE

CAPITOLO 6: LA MEDITAZIONE PER I MASSIMI RISULTATI NEL BASKET

CAPITOLO 7: TECNICHE DI VISUALIZZAZIONE PER MIGLIORARE I RISULTATI NEL BASKET

CAPITOLO 8: TECNICHE DI VISUALIZZAZIONE: VISUALIZZAZIONI MOTIVAZIONALI

CAPITOLO 9: TECNICHE DI VISUALIZZAZIONE: VISUALIZZAZIONI PER LA RISOLUZIONE DEI PROBLEMI

CAPITOLO 10: TECNICHE DI VISUALIZZAZIONE: VISUALIZZAZIONI ORIENTATE ALL'OBIETTIVO

CAPITOLO 11: TECNICHE DI RESPIRAZIONE PER MASSIMIZZARE LA TUA ESPERIENZA NELLA VISUALIZZAZIONE PER MIGLIORARE LE PRESTAZIONI

COMMENTI FINALI

ALTRI GRANDI TITOLI DI QUESTO AUTORE

CAPITOLO 1: ALLENAMENTO AD ALTE PRESTAZIONI PER ESERCIZI DI BASKET

CALENDARIO PER UN ALLENAMENTO "NORMALE"

NORMALE

Domenica	Lunedì	Martedì	Mercoledì	Giovedì	Venerdì	Sabato
				1	2	3
4	5 Split parte superiore del corpo Gamma	6 Recupero attivo Gamma	7 Split parte inferiore del corpo Gamma	8 Split di base Gamma	9 Recupero attivo Gamma	10 Split Velocità / Energia
11 Recupero attivo	12 Split parte superiore del corpo Delta	13 Recupero attivo Delta	14 Split parte inferiore del corpo Delta	15 Split di base Delta	16 Recupero attivo Delta	17 Split Velocità / Energia
18 Recupero attivo	19 Split parte superiore del corpo Gamma	20 Recupero attivo Gamma	21 Split parte inferiore del corpo Gamma	22 Split di base Gamma	23 Recupero attivo Gamma	24 Split Velocità / Energia
25 Recupero attivo	26 Split parte superiore del corpo Delta	27 Recupero attivo Delta	28 Split parte inferiore del corpo Delta	29 Split di base Delta	30 Recupero attivo Delta	31 Split Velocità / Energia

ISTRUZIONI:

QUATTRO PER SETTIMANA

Ogni settimana completerai 4 diversi allenamenti che lavorano su diverse zone del corpo. Questo per garantirti un costante sforzo di adattamento di tutti i muscoli.

PERSONALIZZA IL TUO ESERCIZI

Ogni split (superiore, inferiore, busto e velocità / energia) avrà 10 diversi esercizi tra cui scegliere.

MODELLO STANDARD

Puoi anche scegliere di seguire il nostro calendario pre-confezionato per garantire un miglioramento sotto tutti gli aspetti della tua preparazione atletica.

CALENDARIO PER UN ALLENAMENTO "AVANZATO"

AVANZATO

Domenica	Lunedì	Martedì	Mercoledì	Giovedì	Venerdì	Sabato
				1	2	3
4	5 Split parte superiore del corpo Gamma	6 Recupero attivo Gamma	7 Split parte inferiore del corpo Gamma	8 Split di base Gamma	9 Recupero attivo Gamma	10 Split Velocità / Energia
11 Recupero attivo	12 Split parte superiore del corpo Delta	13 Recupero attivo Delta	14 Split parte inferiore del corpo Delta	15 Split di base Delta	16 Recupero attivo Delta	17 Split Velocità / Energia
18 Recupero attivo	19 Split parte superiore del corpo Gamma	20 Recupero attivo Gamma	21 Split parte inferiore del corpo Gamma	22 Split di base Gamma	23 Recupero attivo Gamma	24 Split Velocità / Energia
25 Recupero attivo	26 Split parte superiore del corpo Delta	27 Recupero attivo Delta	28 Split parte inferiore del corpo Delta	29 Split di base Delta	30 Recupero attivo Delta	31 Split Velocità / Energia

ISTRUZIONI:

QUATTRO PER SETTIMANA

Ogni settimana completerai 4 diversi allenamenti che lavorano su diverse zone del corpo. Questo per garantirti un costante sforzo di adattamento di tutti i muscoli.

PERSONALIZZA IL TUO ESERCIZI

Ogni split (superiore, inferiore, busto e velocità / energia) avrà 10 diversi esercizi tra cui scegliere.

MODELLO STANDARD

Puoi anche scegliere di seguire il nostro calendario pre-confezionato per garantire un miglioramento sotto tutti gli aspetti della tua preparazione atletica.

COME FACCIO A LEGGERE IL CALENDARIO?

Il primo calendario è il tuo normale livello atletico, ed è descritto come "NORMALE". Dovresti riuscire ad eseguirlo in circostanze normali.

Il secondo calendario è la versione Plus e viene descritto come "AVANZATO". Dovresti iniziare a seguirlo quando vorrai aumentare l'intensità. Per questa versione, raddoppia i gruppi di esercizi che sono assegnati, ma non il numero di ripetizioni.

COSA SARÒ IN GRADO DI REALIZZARE DOPO QUESTO PROGRAMMA?

Lo scopo dell'allenamento è di migliorare tutti gli aspetti della prestazione fisica: forza, agilità, potenza e resistenza. E risulta, quindi, il complemento perfetto unito ad una dieta sana per ogni atleta.

ESERCIZI DINAMICI DI RISCALDAMENTO

Si tratta di un serie di 4 esercizi (al di fuori dei 40 esercizi principali) che l'atleta dovrà completare prima di ogni allenamento (denominati split in questo libro). Nei giorni di recupero attivo, l'atleta sarà chiamato a completare questi esercizi in combinazione con una sessione di 30 minuti di cardio moderato invece di 15.

a. **Roll-over's into V-sits:** Inizia da seduto sul pavimento. Successivamente spingi il corpo all'indietro facendo rientrare le ginocchia verso l'interno in modo che tocchino il petto (il tuo peso dovrebbe essere sul retro) con le braccia tese a terra. Infine, passa alla posizione successiva allargando le gambe in modo da formare una V. Ripeti per 15 volte.

b. **Fire Hydrants:** Inizia piegando le ginocchia, palmi a terra (larghezza delle spalle). Assicurati di tenere diritta la schiena. Senza muovere la schiena, disegna un cerchio con il ginocchio in modo che si muova verso l'esterno, in avanti e indietro. Ripeti l'operazione per ogni gamba 15 volte.

c. **Squat and hold:** Eseguire uno Squat and hold mantenendo la posizione finale per 30 secondi.

d. Affondi in avanti: Esegui gli affondi muovendoti in avanti ogni volta. Esegui 12 ripetizioni per gamba (24 ripetizioni totali).

ESERCIZI PER ALTE PRESTAZIONI
Esercizi per la parte superiore del corpo

Questi sono gli esercizi da eseguire nei giorni di calendario contrassegnati con "split parte superiore del corpo".

1.   **Negative push-up (torace)**

Esecuzione:

a.   Sdraiati sul pavimento a faccia in giù e posiziona le mani alla larghezza delle spalle.

b.   Lentamente abbassati fino a quando il petto è a circa un pugno da terra (tempo: 3 secondi).

c.   Rapidamente spingiti verso l'alto (Tempo: 1 secondo).

Reps:
*** 3 serie da 12 ripetizioni. Ogni serie dovrebbe risultare difficile, ma non dovresti mai arrivare alla fine totalmente stremato. Dopo le 12 ripetizioni dovresti riuscire a farne altre 2 o 3. Regola la gamma di ripetizioni fino a soddisfare tutti i criteri, ma non cambiare il numero delle serie.
Benefici:
+++ Forza, ++ Flessibilità, ++ Rafforzamento delle articolazioni

2. **Diamond push-up (tricipiti, torace)**

Esecuzione:

a. Sdraiati sul pavimento a faccia in giù e posiziona le mani alla larghezza delle spalle.

b. Lentamente abbassati fino a quando il petto è a circa un pugno da terra

c. Spingiti verso l'alto

Reps:

*** 3 serie da 12 ripetizioni. Ogni serie dovrebbe risultare difficile, ma non dovresti mai arrivare alla fine totalmente stremato. Dopo le 12 ripetizioni dovresti riuscire a farne altre 2 o 3. Regola la gamma di ripetizioni fino a soddisfare tutti i criteri, ma non cambiare il numero delle serie.

Benefici:

+++ Forza, +++ Resistenza

3.   **One arm push-ups (tricipiti, torace)**

Esecuzione:

a.   Sdraiati sul pavimento a faccia in giù e posiziona la mani alla larghezza delle spalle

b.   Lascia un braccio di fronte a te e metti l'altro dietro la schiena

c.   Abbassati e poi spingiti in alto

Reps:

*** 5 serie di 5 ripetizioni. Se ti risulta eccessivamente difficile inizia con una distanza inferiore. Se ancora non ce la fai, posiziona le mani al di sopra di un sostegno, come una pila di libri, qualche scatola ecc.

Benefici:

+++ Forza, +++ Flessibilità, +++ Energia

4. **Pull-up (schiena, bicipiti)**

Esecuzione:

a. Afferra la barra alla larghezza delle spalle con i palmi rivolti in avanti.

b. Dopo esserti appeso, porta il busto un po' indietro come per formare una piccola salita

c. Tira il busto fino a che toccherai quasi la barra con la parte superiore del petto

d. Abbassati e ripeti

Reps:
*** 3 serie da 10 ripetizioni. Ogni serie dovrebbe risultare difficile, ma non dovresti mai arrivare alla fine totalmente stremato. Dopo le 10 ripetizioni dovresti riuscire a farne altre 2 o 3. Regola la gamma di ripetizioni fino a soddisfare tutti i criteri, ma non cambiare il numero delle serie.
Benefici:
+++ Forza, +++ Resistenza

5. **Muscle up (torace, tricipiti, schiena)**

Esecuzione:

a.   Appenditi alla barra con il pollice sulla parte superiore (non intorno alla barra)

b.   Tirati su, come se facessi un pull-up

c.   Ruota il petto sopra la barra e posati, da una posizione di pull-up ad una posizione di nuoto

d.   Scendi giù e ripeti

Reps:
*** 5 serie di 5 ripetizioni. Se ti sembra troppo difficile inizia con meno ripetizioni e lavora su te stesso. Se ancora troppo difficile esegui solo 10 serie di 1 ripetizione cercando di migliorarti.

Benefici:
+++ Forza, ++ Agilità

6. **Dips (tricipiti, torace)**

Esecuzione:

a. Posiziona le mani su ogni lato della barra in modo che le braccia siano completamente distese e sostieniti

b. Abbassati con una flessione a livello dei gomiti, con un movimento controllato

c. Spingi indietro il corpo per ritornare alla posizione di partenza

Reps:
*** 3 serie di 15 ripetizioni. Ogni serie dovrebbe risultare difficile, ma non dovresti mai arrivare alla fine totalmente stremato. Dopo le 15 ripetizioni dovresti riuscire a farne altre 2 o 3. Regola la gamma di ripetizioni fino a soddisfare tutti i criteri, ma non cambiare il numero delle serie.

7. **L-shaped pull-up (schiena, bicipiti)**

Esecuzione:

a. Parti da una posizione di pull-up regolare

b. Solleva le gambe cercando di formare un angolo di 90 gradi con il busto

c. Tirati su, per quanto possibile, proprio come un normale pull-up

d. Abbassati e ripeti

Reps:

*** 5 serie di 5 ripetizioni. Se troppo difficile, diminuisci le ripetizioni, ma non le serie, fino a quando ti sarà possibile eseguire tutte le 5 serie.

Benefici:

++++ Forza, +++ Flessibilità, ++ Resistenza

8.   **Wide-grip pull-up (schiena)**

Esecuzione:

a.   Afferra la barra prendendo una larghezza più ampia di quella delle spalle, con i palmi rivolti in avanti.

b.   Dopo esserti appeso, porta il busto un po' indietro per formare una leggera inclinazione

c.   Solleva il busto fino a toccare la barra con la parte superiore del petto

Abbassati e ripeti

Reps:

*** 3 serie da 10 ripetizioni. Ogni serie dovrebbe risultare difficile, ma non dovresti mai arrivare alla fine totalmente stremato. Dopo le 10 ripetizioni dovresti riuscire a farne altre 2 o 3. Regola la gamma di ripetizioni fino a soddisfare tutti i criteri, ma non cambiare il numero delle serie.

Benefici:

+++ Forza, +++ Resistenza

Delta X allenamento: esegui gli esercizi 1,3,5,8

Gamma allenamento: esegui gli esercizi 2,4,6,7

Esercizi per la parte inferiore del corpo

Questi sono gli esercizi da eseguire nei giorni di calendario contrassegnati con "split parte inferiore del corpo ".

1.   **Tuck Jump (glutei, quadricipiti)**

Esecuzione:

a.   Stai con i piedi divaricati della stessa larghezza delle spalle, con le ginocchia leggermente piegate

b.   Salta, e nel mentre porta le ginocchia verso il petto ed estendi le braccia verso l'alto

Reps:
*** 3 serie da 20 ripetizioni.
Benefici:
+++ Esplosivo aumento della forza, ++ Maggiore flessibilità

2.   **Wall sit (glutei, quadricipiti)**

Esecuzione:

a.   Posizionati a ridosso di una parete (appoggiandoci la schiena)

b.   Scivola in giù fino a quando le cosce saranno parallele al pavimento

c.   Mantieni la posizione

Reps:

*** 3 serie da 120 secondi.

Benefici:

++ Resistenza, +++ Soglia per acido lattico, ++ Forza

3.   **Lunge (quadricipiti)**

Esecuzione:

a.   Piedi divaricati come la larghezza delle spalle

b.   Gamba destra in avanti per quanto possibile, senza strafare

c.   Piega la gamba sinistra fino a quando il ginocchio sinistro sta per toccare il pavimento

d.   Rialzati

e.   Ripeti con la gamba sinistra (piegando la destra)

Reps:

*** 3 serie di 15 ripetizioni.

Benefici:

++ Forza, ++ Stabilità

4.   **Air Squat (glutei, quadricipiti)**

Esecuzione:

a.   Piedi divaricati come la larghezza delle spalle

b.   Piegati muovendo i fianchi indietro

c.   Assicurati di guardare in avanti e di eseguire il piegamento con la schiena dritta

d.   Rialzati e stendi le gambe

Reps:

*** 3 serie da 30 ripetizioni.

Benefici:

+++ Forza, ++ Resistenza

5. **Close-stance squat (quadricipiti)**

Esecuzione:

a.   Metti i piedi il più vicino possibile, senza farli toccare

b.   Piegati muovendo i fianchi e schiena con le braccia estese di fronte a te

c.   Assicurati di guardare in avanti e di eseguire il piegamento con la schiena dritta

d.   Rialzati e stendi le gambe

Reps:

*** 3 serie da 30 ripetizioni.

Benefici:

+++ Forza, ++ Resistenza, ++ Equilibrio

6.   **Drinking bird (muscoli posteriori della coscia, quadricipiti)**

Esecuzione:

a.   Stai in piedi su una gamba flettendo leggermente il busto, mentre posizioni l'altra gamba dietro di te

b.   Piegati in avanti in modo che la gamba dietro di te sia perpendicolare alla schiena

c.   Esegui l'esercizio estendendo le braccia avanti a te

d.   Torna alla posizione di partenza e ripeti

Reps:

*** 10 ripetizioni per gamba. Una serie.

Benefici:

+++ Equilibrio, ++ Resistenza

7.   **Elevated single-leg calf raise (polpacci)**

Esecuzione:

a.   Stai con i piedi divaricati come la larghezza delle spalle, sporgendoti leggermente in modo da spostare il peso sulla parte anteriore dei piedi

b.   Lascia una gamba tesa e l'altra leggermente indietro in modo che tutto il peso sia su un solo piede

c.   Scendi in modo da contrarre il muscolo del polpaccio

Reps:
*** 2 serie da 20 ripetizioni per gamba.
Benefici:
+++ Forza, ++ Equilibrio, ++ Resistenza

8.   **Hip thrusts (glutei)**

Esecuzione:

a.   Stenditi in posizione supina

b.   Piega le ginocchia formando con le gambe un angolo di 90 gradi

c.   Solleva il sedere da terra con l'aiuto delle mani su entrambi i lati

d.   Abbassati e ripeti

Reps:

*** 3 serie da 12 ripetizioni. Ogni serie dovrebbe risultare difficile, ma non dovresti mai arrivare alla fine totalmente stremato. Dopo le 12 ripetizioni dovresti riuscire a farne altre 2 o 3. Regola la gamma di ripetizioni fino a soddisfare tutti i criteri, ma non cambiare il numero delle serie.

Benefici:

+++ Forza, ++ Resistenza

Delta X allenamento: esegui gli esercizi 1,3,5,8

Gamma allenamento: esegui gli esercizi 2,4,6,7

Esercizi di base

Questi sono gli esercizi da eseguire nei giorni di calendario contrassegnati con "split di base".

1.   **Plank**

Esecuzione:

a.   Sdraiati sul pavimento a faccia in giù e posiziona le braccia all'altezza delle spalle

b.   Assicurati di sostenere il peso con le dita dei piedi e gli avambracci

c.   Mantieni la posizione

Reps:
*** 3 serie da 120 secondi.
Benefici:
++ Resistenza, +++ Soglia per l'acido lattico, +++ Stabilità di base

2.   **Russian twist**

Esecuzione:

a.   Mettiti seduto sul pavimento sulle gambe con le ginocchia piegate

b.   Assicurati che il busto sia in posizione verticale in modo che crei una V con le cosce

c.   Estendi le braccia (con o senza un peso) e ruota il busto verso destra, per quanto ti è possibile

d.   Ripeti ruotando a sinistra

Reps:

*** 3 serie da 20 ripetizioni. Ogni serie dovrebbe risultare difficile, ma non dovresti mai arrivare alla fine totalmente stremato. Dopo le 20 ripetizioni dovresti riuscire a farne altre 2 o 3. Regola la gamma di ripetizioni fino a soddisfare tutti i criteri, ma non cambiare il numero delle serie.

Benefici:

++ Forza, +++ Stabilità di base

3. **Leg raise**

Esecuzione:

a. Sdraiati sul pavimento con le gambe dritte

b. Appoggia le mani sui glutei, una per lato

c. Solleva le gambe per creare un angolo di 90 gradi, garantendo nel contempo che le gambe non si flettano (le mani ti devono aiutare a mantenere l'equilibrio e a spingere sul pavimento)

Reps:

*** 3 serie da 20 ripetizioni. Ogni serie dovrebbe risultare difficile, ma non dovresti mai arrivare alla fine totalmente stremato. Dopo le 20 ripetizioni dovresti riuscire a farne altre 2 o 3. Regola la gamma di ripetizioni fino a soddisfare tutti i criteri, ma non cambiare il numero delle serie.

Benefici:

++ Forza, +++ Stabilità di base

4. **Crunch**

Esecuzione:

a. Sdraiati sul pavimento supino

b. Piega le ginocchia in modo da formare un angolo di 90 gradi

c. Solleva il busto di poco, in modo da non toccare mai il pavimento (non sederti completamente)

Reps:

*** 3 serie di 40 ripetizioni. Ogni serie dovrebbe risultare difficile, ma non dovresti mai arrivare alla fine totalmente stremato. Dopo le 40 ripetizioni dovresti riuscire a farne altre 2 o 3. Regola la gamma di ripetizioni fino a soddisfare tutti i criteri, ma non cambiare il numero delle serie.

Benefici:

+++ Resistenza, +++ Stabilità di base

5.   **Push-up plank**

Esecuzione:

a.   Assumi la posizione di push-up

b.   Scendi in modo da trovarti a metà del movimento di push-up

c.   Mantieni la posizione

Reps:

*** 3 serie da 60 secondi. Ogni serie dovrebbe essere difficile, ma sarai in grado di raggiungere la fine senza troppi problemi. Regolare il tempo, se necessario, ma non il numero di serie.

Benefici:

+++ Resistenza, ++ Stabilità di base

6. **Lying windmills hold**

Esecuzione:

a. Sdraiati supino con le braccia estese e solleva le gambe in modo da formare un angolo di 90 gradi

b. Mantieni la posizione

Reps:
*** 3 serie da 60 secondi.
Benefici:
+++ Resistenza, +++ Forza

7. **Spiderman plank**

Esecuzione:

a.   Inizia in una posizione standard supina con il peso sugli avambracci ed avampiedi

b.   Assicurati di mantenere la schiena dritta

c.   Porta il ginocchio destro in avanti in modo che tocchi il gomito destro

d.   Ritorna alla posizione di partenza

e.   Ripeti con il ginocchio sinistro

Reps:

*** 3 serie da 10 ripetizioni. Ogni serie dovrebbe risultare difficile, ma non dovresti mai arrivare alla fine totalmente stremato. Dopo le 10 ripetizioni dovresti riuscire a farne altre 2 o 3. Regola la gamma di ripetizioni fino a soddisfare tutti i criteri, ma non cambiare il numero delle serie.

Benefici:

+++ Forza, ++ Flessibilità, ++ Resistenza

8. **Bicycle crunch**

Esecuzione:

a. Sdraiati sulla schiena con le mani dietro la testa

b. Piega le gambe in modo da formare un angolo di 90 gradi

c. Porta il ginocchio destro verso il gomito sinistro e falli toccare, se possibile

d. Ripeti con il ginocchio sinistro

Reps:

*** 3 serie da 20 ripetizioni. Ogni serie dovrebbe risultare difficile, ma non dovresti mai arrivare alla fine totalmente stremato. Dopo le 20 ripetizioni dovresti riuscire a farne altre 2 o 3. Regola la gamma di ripetizioni fino a soddisfare tutti i criteri, ma non cambiare il numero delle serie.
Benefici:

+++ Forza, +++ Resistenza

Delta X allenamento: esegui gli esercizi 1,3,5,8
Gamma allenamento: esegui gli esercizi 2,4,6,7

Esercizi di Velocità/Energia

Questi sono gli esercizi da eseguire nei giorni di calendario contrassegnati con "Split Velocità / Energia".

1. **Sprint per allenamenti intensivi (HIT)**

Esecuzione:

L'idea è quella di realizzare il secondo sprint 8x30 alla massima intensità con 2 minuti di riposo tra uno sprint e l'altro.

Benefici:

++ Potenza, +++ Recupero, +++ Velocità

2. **Sprint su collina (HIT)**

Esecuzione:

L'idea è di eseguire uno sprint di 5x 10-30 secondi su una collina o una superficie inclinata con 2 minuti di riposo tra uno sprint e l'altro.

Benefici:

+++ Potenza, +++ Velocità

3. **Hand Shuffle (base, torace, tricipiti)**

Esecuzione:

a.   Assumi la classica posizione di push-up con le mani posizionate alla stessa larghezza delle spalle

b.   Sposta leggermente o la mano destra o quella sinistra verso il centro

c.   Spostare l'altra mano verso il centro. Ora dovresti essere in una posizione di diamond push-up

d.   Spostare la prima mano di nuovo all'altezza della spalla

e.   Spostare l'altra mano

f.   Ripeti il più velocemente possibile

Reps:
*** L'idea è di eseguire sessioni di 5x 60 secondi il più velocemente possibile senza rallentare. Se ti risulta troppo difficile puoi iniziare con sessioni da 30 secondi, pur mantenendo la piena velocità.
Benefici:
+++ Velocità, ++ Agilità, +++ Coordinamento

4. **Saltelli su singola gamba (quadricipiti, polpacci)**

Esecuzione:

a. Divarica i piedi come la larghezza delle spalle

b. Solleva un ginocchio in modo da stare in piedi su una sola gamba, in equilibrio

c. Fai un salto in avanti, per quanto ti è possibile, per il numero di ripetizioni sotto indicato

d. Ripeti con l'altra gamba

Reps:
*** 3x15 saltelli per gamba. L'idea è quella di eseguire l'esercizio più velocemente possibile senza rallentare. Se ti risulta troppo difficile puoi iniziare con ripetizioni più basse, pur mantenendo la piena velocità.
Benefici:
+++ Velocità, +++ Agilità, ++ Coordinamento

5. **Box jump (quadricipiti, glutei)**

Esecuzione:

a.   Divarica i piedi come la larghezza delle spalle
b.   Salta sulla scatola con entrambi i piedi
contemporaneamente
c.   Scendi

Reps:
*** 3 serie da 30 salti. L'idea è quella di eseguire
l'esercizio più velocemente possibile senza rallentare. Se ti
risulta troppo difficile puoi iniziare con ripetizioni più
basse, pur mantenendo la piena velocità.
.

Benefici:
+++ Potenza, +++ Forza, ++ Resistenza

6.   **Clapping push-up (torace, tricipiti)**

Esecuzione:

a.   Mettiti nella posizione standard di push-up

b.   Esegui il push up, ma spingiti sul pavimento il più forte possibile e batti le mani, mentre sei in aria

c.   Ripeti

Reps:

*** 5 serie di 5 ripetizioni. L'idea è di eseguire l'esercizio più velocemente possibile senza rallentare. Se ti risulta troppo difficile puoi iniziare con ripetizioni più basse, pur mantenendo la piena velocità.

Benefici:

+++ Potenza, +++ Forza, ++ Coordinamento

7. Knuckle jumping push-up (torace, tricipiti)

Esecuzione:

a.   Mettiti nella posizione standard di push-up ma mantieni il peso sulle nocche invece che sui palmi delle mani

b.   Esegui il push up, ma spingiti sul pavimento più forte possibile

c.   Ripeti

Reps:

*** 5 serie di 5 ripetizioni. L'idea è di eseguire l'esercizio più velocemente possibile senza rallentare. Se ti risulta troppo difficile puoi iniziare con ripetizioni più basse, pur mantenendo la piena velocità.

Benefici:

+++ Coordinamento, +++ Potenza

8. **Later box jumps (quadricipiti, glutei)**

Esecuzione:

a. Posizionati a lato di una scatola o piattaforma elevata

b. Metti il piede più vicino sulla parte superiore della scatola

c. Togli il piede e salta il più rapidamente possibile

d. Atterra con il piede destro sulla scatola

e. Ripeti con l'altra gamba

Reps:

*** 3 serie da 12 ripetizioni. L'idea è di eseguire l'esercizio più velocemente possibile senza rallentare. Se ti risulta troppo difficile puoi iniziare con ripetizioni più basse, pur mantenendo la piena velocità.

Benefici:

+++ Forza, +++ Agilità

Delta X allenamento: esegui gli esercizi 1,3,5,8

Gamma allenamento: esegui gli esercizi 2,4,6,7

Glossario

Recupero attivo: metti a riposo i muscoli durante l'attività in modo che il flusso di sangue acceleri il recupero

Agilità: la capacità di essere veloce, preciso ed efficace

Coordinamento: la capacità di impiegare diverse parti del corpo contemporaneamente o eseguire compiti diversi contemporaneamente

Resistenza: la capacità di lavorare per un lungo periodo di tempo

Essere stremato: quando sei completamente esaurito, incapace di andare avanti

Soglia acido lattico: questo è il punto in cui inizia ad accumularsi il lattato nel sangue, producendo una sensazione di bruciore nei muscoli

Potenza: la capacità di produrre più energia nel più breve lasso di tempo

Forza: la capacità di sollevare carichi più elevati per lo stesso volume di lavoro

CAPITOLO 2: ALIMENTAZIONE PER ALTE PRESTAZIONI NEL BASKET

Perché è importante l'alimentazione?

Per massimizzare gli effetti degli allenamenti è importante avere una dieta equilibrata attraverso i pasti e/o succhi o frullati. Per migliorare la condizione fisica sarà necessario mangiare correttamente e non far fatica prima del previsto.

Cosa dovrei mangiare o bere prima degli allenamenti o competizione?

Gli alimenti ideali di pre-formazione si devono consumare sono: Proteine magre, facili da digerire, carboidrati, grassi omega, verdure e legumi, e l'acqua sono e dovrebbero essere consumati in quantità adeguate a seconda delle esigenze caloriche.

Per aiutarti verso la preparazione della competizione, ci sono alcuni frullati e/o succhi e pasti ad alto contenuto proteico che rendono il processo digestivo più semplice, mentre si sta richiedendo molto al proprio corpo attraverso la richiesta di una grande quantità di energia. Bere questi frullati 30-60 minuti prima dell'allenamento ti darà i migliori risultati e ti impedirà di avere una sensazione di fame o di essere troppo pieno per rilassarti completamente e concentrarti sulla sessione che stai per affrontare.

Se non hai tempo di mangiare correttamente, assicurati almeno di bere qualcosa che nutra il tuo corpo; è necessario puntare sulla qualità e non sulla quantità di ciò che si mangia e si beve.

Proteine

Le proteine magre sono molto importanti per lo sviluppo e la riparazione dei tessuti muscolari. Aiutano anche a normalizzare le concentrazioni di ormoni nel corpo e questo ti permetterà di controllare il tuo stato d'animo così come il temperamento. Alcune delle migliori proteine magre si possono avere con:

- Petto di tacchino (tutto naturale se possibile).
- Carne rossa magra (tutta naturale se possibile).
- Albume d'uovo
- La maggior parte dei prodotti lattiero-caseari.
- Petto di pollo (tutto naturale).
- Quinoa
- Noci (tutte le varietà)

Grassi Omega

I Grassi Omega sono facili da assimilare e molto importanti per le funzioni del corpo, in particolare per il cervello. I Grassi omega si trovano comunemente in:

- Salmone (Preferibilmente selvaggio, non d'allevamento)

- Noci (da portare in giro per uno spuntino)

- Semi di lino (da mettere in qualsiasi frullato)

- Sardine

Noterai le funzioni cerebrali migliorare e aumentare la salute generale del cervello. Il tuo sistema immunitario dovrebbe anche diventare più forte, il che ridurrà le probabilità di sviluppare il cancro, il diabete, ed altri gravi problemi di salute connessi.

Ortaggi e legumi
Ortaggi e legumi non vengono considerati per la loro vera importanza. Trova una verdura che ti piace ed includila nella tua dieta. Ti ripagherà nel corso degli anni. Quando si sente la gente parlare di quanto sia importante avere una dieta equilibrata, si riferisce anche alle verdure. Alcune delle migliori verdure e legumi da includere nei tuoi pasti giornalieri sono:

- Pomodori

- Carote

- Barbabietole

- Cavoli

- Spinaci

- Cavolfiori

- Prezzemolo

- Broccoli

- Cavoletti di Bruxelles

- Lattuga

- Ravanelli

- Peperoni verdi, rossi e gialli

- Cetrioli

- Melanzane

- Avocado

Cucina piatti che comprendano una vasta gamma di colori per essere sicuro di introdurre tutte le vitamine ed i minerali di cui hai bisogno.

Frutta

I frutti contengono anche una grande quantità di vitamine necessarie per il tuo corpo per portarlo alla sua capacità massima. Gli antiossidanti aiutano il corpo a recuperare più velocemente, e questo è estremamente importante per gli atleti. Assicurati di mangiare molti frutti con alto contenuto di antiossidanti, dopo l'allenamento o durante la competizione. La frutta fornisce un'importante fonte di fibra alimentare, che consente di elaborare più facilmente il cibo. Alcuni dei migliori frutti da includere nella tua dieta pre-meditazione sono:

- Mele (verdi e rosse)

- Arance

- Uva (rossa e verde)

- Banane

- Pompelmi (Un po' aspri ma ricchi di antiossidanti)

- Limoni e lime (sotto forma di succo mescolato con acqua. Mi capita spesso di chiedere acqua e alcune fette di limone quando vado a mangiare fuori perchè sono meravigliosi antiossidanti)

- Ciliegie (naturali, senza zucchero)

- Mandarini

- Anguria

- Cantalupo

Acqua

L'acqua e l'idratazione sono molto importanti per lo sviluppo del tuo corpo e può aumentare la quantità di energia che hai a disposizione durante il giorno. Bere succhi di frutta e frullati aiuterà, ma non possono sostituire l'acqua potabile. La quantità di acqua che bevi dipenderà dalla quantità di allenamento cardiovascolare che fai, ed infatti potrebbe essere superiore a quella normalmente suggerita. La maggior parte delle gente dovrebbe bere almeno 8 bicchieri di acqua al giorno, ma la maggior parte degli atleti deve berne 10 -14 bicchieri.

Fin da quando ho iniziato a portare in giro il mio litro di acqua sono stato in grado di raggiungere il mio "1 litro al giorno" che ha migliorato la mia salute in modo significativo.

Alcuni dei benefici che ho notato e che la maggior parte delle persone noterà sono:

- Meno o nessun mal di testa (il cervello viene idratato più spesso)

- Una migliore digestione.

- Meno stanchezza durante il giorno.

- Più energia al mattino.

- Ridotta quantità di rughe visibili.

- Meno crampi o segni di rigidità muscolare. (Questo è un problema comune a molti atleti.)

- Migliore concentrazione (questo andrà a beneficio della meditazione).

- Diminuzione del desiderio per i dolci e spuntini tra i pasti.

CALENDARIO MUSCOLARE

Settimana 1

Giorno 1:

Per I più mattinieri

Snack: Yogurt ai mirtilli

Hamburger di tonno ed insalata

Snack: Pomodorini con ricotta

Frullato di proteine in stile messicano

Giorno 2:

Frittelle di mirtilli e limone

Snack: Toast con avocado

Spiedini piccanti di manzo

Snack: Mela e burro di arachidi

Pesce mediterraneo

Giorno 3:

Scodella energetica

Snack: Yogurt con frutti tropicali

Petto di pollo farcito con riso integrale

Snack: Peperoni con ricotta

Cena simpatica per vegani

Giorno 4:

Latte di Mandorle dolci

Snack: Tazza di popcorn

Merlano avvolto nella pancetta con patate

Snack: Yogurt con bacche di Goji secche

Hummus all'aglio

Giorno 5

Yogurt Greco con semi di lino e mela

Snack: Torta di riso con burro di arachidi

Salmone affumicato con asparagi grigliati

Snack: Sedano con formaggio di capra e olive verdi

Insalata di pollo e avocado

Giorno 6:

Colazione 'Pizza'

Snack: Yogurt greco con fragole

Involtini di pollo alla cesare

Snack: Ceci arrostiti

Merluzzo piccante

Giorno 7:

Anelli di peperoni con "Forma di semola"

Snack: Mix di frutta secca

Tagliatelle con manzo e broccoli

Snack: Prosciutto e gambi di sedano

Insalata di pollo e rucola

Settimana 2

Giorno 1:

Muffin di proteine al siero del latte

Snack: Toast con avocado

Linguine in insalata con gamberi e zucchine

Snack: Mela e burro di arachidi

Hamburger di tofu

Giorno 2:

Colazione moka messicana

Snack: Yogurt con bacche di Goji secche

Trota con patate in insalata

Snack: Tazza di popcorn

Pollo con ananas e peperoni

Giorno 3:

Salmone affumicato e avocado con toast

Snack: Pomodorini con ricotta

Pollo speziato

Snack: Yogurt ai mirtilli

Funghi grigliati e hamburger di zucchine

Giorno 4:

Frappè di frutta e burro d'arachidi

Snack: Ceci arrostiti

Chili con fagioli messicani

Snack: Yogurt greco con fragole

Pollo in agrodolce

Giorno 5:

Pacchetto di proteine rimestato

Snack: Peperoni con ricotta

Polpettone di tacchino con couscous di grano

Snack: Yogurt con frutti tropicali

Halibut con senape di Dijon

Giorno 6:

Torta di zucca e frittella alle proteine

Snack: Prosciutto e gambi di sedano

Riso mediterraneo

Snack: Mix di frutta secca

Tonno sciolto

Giorno 7:

Tonno farcito ai peperoni

Snack: Sedano con formaggio di capra e olive verdi

Pasta con Polpette di carne di manzo e spinaci

Snack: Torta di riso con burro di arachidi

Sushi in ciotola

Settimana 3

Giorno 1:

Farina d'avena arricchita di proteine

Snack: Tazza di popcorn

Uova ripiene con pane Pita

Snack: Mela e burro di arachidi

Pollo cotto in vassoio

Giorno 2:

Per i più mattinieri

Snack: Toast con avocado

Tagliatelle con manzo e broccoli

Snack: Yogurt con bacche di Goji secche

Hummus all'aglio

Giorno 3:

Scodella energetica

Snack: Yogurt greco con fragole

Involtini di pollo alla cesare

Snack: Pomodorini con ricotta

Pesce mediterraneo

Giorno 4:

Frittelle di limone ai mirtilli

Snack: Ceci arrostiti

Salmone affumicato con asparagi grigliati

Snack: Yogurt ai mirtilli

Insalata di pollo e rucola

Giorno 5:

Yogurt Greco con semi di lino e mela

Snack: Prosciutto e gambi di sedano

Hamburger di tonno ed insalata

Snack: Yogurt con frutti tropicali

Insalata di pollo e avocado

Giorno 6:

Anelli di peperoni con "Forma di semola"

Snack: Peperoni con ricotta

Petto di pollo farcito con riso integrale

Snack: Mix di frutta secca

Merluzzo piccante

Giorno 7:

Latte di Mandorle dolci

Snack: Torta di riso con burro di arachidi

Spiedini piccanti di manzo

Snack: Sedano con formaggio di capra e olive verdi

Frullato di proteine in stile messicano

Settimana 4

Giorno 1:

Colazione 'Pizza'

Snack: Yogurt greco con fragole

Merlano avvolto nella pancetta con patate

Snack: Tazza di popcorn

Cena simpatica per vegani

Giorno 2:

Colazione moka messicana

Snack: Pomodorini con ricotta

Riso mediterraneo

Snack: Mela e burro di arachidi

Funghi grigliati e hamburger di zucchine

Giorno 3:

Frappè di frutta e burro d'arachidi

Snack: Toast con avocado

Linguine in insalata con gamberi e zucchine

Snack: Yogurt ai mirtilli

Pollo in agrodolce

Giorno 4:

Torta di zucca e frittella alle proteine

Snack: Yogurt con bacche di Goji secche

Pollo speziato

Snack: Ceci arrostiti

Halibut con senape di Dijon

Giorno 5:

Salmone affumicato e avocado con toast

Snack: Prosciutto e gambi di sedano

Pasta con Polpette di carne di manzo e spinaci

Snack: Mix di frutta secca

Hamburger di tofu

Giorno 6:

Farina d'avena arricchita di proteine

Snack: Peperoni con ricotta

Chili con fagioli messicani

Snack: Yogurt con frutti tropicali

Sushi in ciotola

Giorno 7:

Pacchetto di proteine rimestato

Snack: Torta di riso con burro di arachidi

Trota con patate in insalata

Snack: Yogurt greco con fragole

Pollo cotto in vassoio

2 giorni extra per completare il mese:

Giorno 1:

Muffin di proteine al siero del latte

Snack: Sedano con formaggio di capra e olive verdi

Polpettone di tacchino con couscous di grano

Snack: Mela e burro di arachidi

Tonno sciolto

Giorno 2:

Tonno farcito ai peperoni

Snack: Yogurt ai mirtilli

Uova ripiene con pane Pita

Snack: Mix di frutta secca

Pollo con ananas e peperoni

RICETTE PER AUMENTARE LA MASSA MUSCOLARE ED OTTENERE ALTE PRESTAZIONI

COLAZIONE

1. Per i più mattinieri

Fai scattare il tuo corpo da uno stato catabolico e con l'aiuto di un alto contenuto di carboidrati per una colazione al forno con tante proteine per ricostituire i muscoli. Mezzo pompelmo e punte di asparagi per fare il pieno di vitamina C.

Ingredienti (1 porzione):

6 albumi

½ tazza di quinoa cotta e mix di riso integrale

3 punte di asparagi, fette

½ pompelmo rosa

1 piccolo peperone rosso, affettato

1 cucchiaio di siero di latte piccante e proteine in polvere

1 spicchio d'aglio, schiacciato

Olio di oliva in spray

Pepe, sale

Tempo di preparazione: 10 minuti

Tempo di cottura: 15-20 minuti

Preparazione:

Riscaldare il forno a 200°C ventilato / gas 6. Ungere leggermente una padella in ghisa con olio d'oliva.

In una ciotola media, sbattere gli albumi con un pizzico di sale e pepe fino a renderli schiumosi.

Aggiungere il riso cotto e quinoa nella padella; versare gli albumi poi i pezzi di asparagi e le fette di peperone.

Cuocere in forno per 15-20 minuti o fino a quando le uova saranno cotte.

Valori nutrizionali per porzione: 407kcal, 52g proteine, 40g carboidrati (5g fibre, 8g zuccheri), 2g grassi, 15% calcio, 12% ferro, 19% magnesio, 26% vitamina A, 63% vitamina C, 48% vitamina K, 12% vitamina B1, 69% vitamina B2, 26% vitamina B9.

2.   Scodella energetica

Una colazione con un nome appropriato, la scodella energica combina un alto contenuto di proteine, bianco d'uovo e un rifornimento di energia con la farina d'avena. Le noci aggiungono I grassi ed il miele completa il tutto con una nota di dolcezza.

Ingredienti(1 porzione):

6 bianchi d'uovo

½ tazza farina d'avena istantanea, cotta

1/8 tazza noci

¼ tazza di bacche

1 cucchiaio raso di miele

Cannella

Tempo di preparazione: 10 min

Tempo di cottura: 5 min

Preparazione:

Montare a neve gli albumi fino a renderli schiumosi poi cuocerli in una padella a fuoco basso.

Unire la farina d'avena e gli albumi in una ciotola; aggiungere la cannella e miele grezzo e mescolare.

Ottimo con frutti di bosco, banana e noci.

Valori nutrizionali per porzione: 344kcal, 30g proteine, 33g carboidrati (3g fibre, 23g zuccheri), 11g grassi (2 saturi), 10% ferro, 15% magnesio, 10% vitamina B1, 11% vitamina B2, 15% vitamina B5.

3.   Tonno farcito ai peperoni

Questa è una ricetta veloce e nutriente che fornisce un altissimo apporto di vitamina B12. Ricco di proteine, il tonno è una varietà di colazione eccellente per la struttura dei muscoli e se vuoi aggiungere alcuni carboidrati al tuo pasto, un pezzetto di toast integrale è la soluzione ideale.

Ingredienti(2 porzioni):

2 scatole di tonno con acqua (185g), scolato per metà

3 uova sode

1 scalogno, tritato finemente

5 piccoli sottaceti, a dadini

Sale, pepe

4 peperoni, dimezzati, senza semi

Tempo di preparazione: 5 min

Tempo di cottura: 10 minuti

Preparazione:

Mettere insieme il tonno, le uova, lo scalogno, sottaceti e condimenti in un frullatore e mescola fino a renderli una crema.

Riempi le metà dei peperoni con il composto e servi.

Valori nutrizionali per porzione: 480kcal, 46g proteine, 16g grassi (4g saturi), 8g carboidrati (2g fibre, 4g zuccheri), 28% magnesio, 94% vitamina A, 400% vitamina C, 12% vitamina E, 67% vitamina K, 18% vitamina B1, 32% vitamina B2, 90% vitamina B3, 20% vitamina B5, 56% vitamina B6, 18% vitamina B9, 284% vitamina B12.

4.   Yogurt Greco con semi di lino e mela

Scostati per un attimo dal tradizionale uovo bianco per la costruzione muscolare a colazione, e prova alcuni alimenti con alto contenuto di proteine come lo yogurt Greco aromatizzato alla mela. Aggiungi dei semi di lino per aumentare 'apporto di fibre, dopo averli tenuti in ammollo tutta la note per renderli morbidi e digeribili.

Ingredienti (1 porzione):

1 tazza yogurt greco

1 mela, a fette sottili

2 cucchiai di semi di lino

¼ cucchiaino di cannella

1 cucchiaino di Stelvia

Una spruzzata di sale

Tempo di preparazione: 5 min

Tempo di cottura: 45 minuti

Preparazione:

Preriscaldare il forno a 190°C ventilato / gas 5. Posizionare le fette di mela in una padella antiaderente, cospargere con cannella, Stelvia e un pizzico di sale, coprirle e cuocere per 45 min / finché diventano tenere. Toglierli dal forno e lasciare raffreddare per 30 minuti.

Mettere lo yogurt greco in una ciotola poi riempire con mele e semi di lino e servire.

Valori nutrizionali per porzione: 422kcal, 22g proteine, 39g carboidrati (7g fibre, 22 g zuccheri), 21g grassi (8 g saturi), 14% calcio, 22% magnesio, 14% vitamina C, 24% vitamina B1, 13% vitamina B12.

5. Anelli di peperoni con "Forma di Semola"

Un pasto gustoso e speciale, gli anelli di peperone con forma di semola per i tuoi muscoli ti darà molta energia per tutta la giornata. Piena di colori e di sostanze nutritive, questa colazione ha un'elevata quantità di vitamina B1.

Ingredienti(1 porzione):

6 bianchi d'uovo

2 uova

¼ tazza farina di riso

1 tazza di spinaci crudi

½ peperone verde

1 tazza di pomodorini

Uno spruzzo di olio d'oliva

Sale, pepe

Tempo di preparazione: 10 min

Tempo di cottura: 15 min

Preparazione:

Monta a neve gli albumi con un pizzico di sale e pepe fino a renderli schiumose. Scalda l'olio in una padella antiaderente e cuoci gli albumi e la farina. Aggiungi gli spinaci, mescola e cuoci fino a quando gli spinaci si sono appassiti.

Spruzza una padella con olio d'oliva e imposta il fuoco medio. Taglia i peperoni in senso orizzontale per creare 2 anelli, mettili nella padella e rompi le uova all'interno dei peperoni. Lascia cuocere fino a quando le uova diventano bianche. Metti il composto di uova, farina e gli anelli di peperone cotti su un piatto e servi con pomodorini.

Valori nutrizionali per porzione : 495kcal, 45g proteine, 45g carboidrati (3g fibre, 7g zuccheri), 11g grassi (3g saturi), 9% calcio, 14% ferro, 20% magnesio, 35% vitamina A, 32% vitamina C, 91% vitamina B2, 22% vitamina B5, 12% vitamina B6, 15% vitamina B12.

6.   Latte di mandorle dolci

10 minuti è tutto ciò che serve per preparare questo frullato ad alto contenuto di vitamina D e B1. È possibile farne una grande quantità e tenerlo in freezer, scelta perfetta per una colazione veloce.

Ingredienti(2 porzione):

1 tazza di latte di mandorle

1 tazza di frutti di bosco congelati

1 tazza di spinaci

1 cucchiaio dosatore di proteine in polvere al gusto banana

1 cucchiaio di semi di chia

Tempo di preparazione: 10 min

Nessuna cottura

Preparazione:

Mescola assieme tutti gli ingredienti in un frullatore fino a rendere il tutto una crema liscia, metti in 2 bicchieri di vetro e servi.

Valori nutrizionali per porzione: 295kcal, 26g proteine, 32g carboidrati (4g fibre, 13g zuccheri), 9g grassi, 40% calcio,

20% ferro, 12% magnesio, 50% vitamina A, 40% vitamina C, 25% vitamina D, 57% vitamina E, 213% vitamina B1, 18% vitamina B9.

7.   Torta di zucca e frittella alle proteine

Dimentica la farina e prova il pancake di avena con una deliziosa aggiunta di zucca fresca. Rovescia un po' di sciroppo privo di calorie e gusta una colazione con alto numero di proteine che ha un sapore buono come un piccolo pasto.

Ingredienti(1 porzione):

1/3 tazza di avena vecchio stile

¼ tazza di zucca

½ tazza di albumi

1 cucchiaio dosatore di proteine in polvere alla cannella

½ cucchiaino di cannella

Olio di oliva spray

Tempo di preparazione: 5 min

Tempo di cottura: 5 min

Preparazione:

Mescola tutti gli ingredienti assieme in una ciotola. Spruzza una padella di medie dimensioni con olio d'oliva quindi metti tutto a fuoco medio.

Versa la pastella, e una volta che vedi delle piccole bolle che appaiono sulla parte superiore della frittella, capovolgi. Quando ogni lato è dorato, togli il pancake e servi.

Valori nutrizionali per porzione: 335kcal, 39g proteine, 37g carboidrati (6g fibre, 1 g zuccheri), 6g grassi, 14% calcio, 15% ferro, 26% magnesio, 60% vitamina A, 26% vitamina B1, 37% vitamina B2, 10% vitamina B5, 31% vitamina B6.

8.   Farina d'avena arricchita di proteine

Ecco un'abbondante porzione di carboidrati che ti terrà sazio per ore, mentre la polvere di proteine e mandorle segnerà un inizio di giornata ricco di proteine. Se preferisci la farina d'avena con un gusto fruttato, utilizza le proteine in polvere al gusto di banana.

Ingredienti(1 porzione):

2 pacchetti di farina d'avena istantanea (porzioni da 28g)

¼ tazza di mandorle tritate

1 cucchiaio dosatore di proteine in polvere al siero di latte gusto vaniglia

1 cucchiaino di cannella

Tempo di preparazione: 5 min

Tempo di cottura: 5 min

Preparazione:

Versa la farina d'avena istantanea in una ciotola, mescola con la polvere di proteine e la cannella. Aggiungi acqua calda e mescola. Guarnisci con mandorle tritate e servi.

Valori nutrizionali per porzione: 436kcal, 33g proteine, 45g carboidrati (10g fibre, 4g zuccheri), 15g grassi (1g saturi), 17% calcio, 19% ferro, 37% magnesio, 44% vitamina E, 21% vitamina B1, 21% vitamina B2.

9. Pacchetto di proteine rimestato

Nutri i muscoli e fai un allenamento intenso con questo pasto di ben 51g proteine. Questi i bianchi d'uovo strapazzate con verdure e salsiccia di tacchino hanno il valore aggiunto di essere ricchi di carboidrati e ad alto contenuto di vitamine.

Ingredienti(1 porzione):

8 albumi

2 salsicce di tacchino, tritate

1 cipolla grande, tagliata a dadini

1 tazza di peperoni rossi, a dadini

2 pomodori a dadini

2 tazze di spinaci, tritate

1 cucchiaio di olio di oliva

Sale e pepe

Tempo di preparazione: 10 min

Tempo di cottura: 10-15 minuti

Preparazione:

Frulla gli albumi con un pizzico di sale e pepe fino a renderli schiumosi, quindi mettili da parte.

Scalda l'olio in una grande padella, mettici dentro cipolle e peperoni, e cucinali fino a renderli tenerli. Aggiusta di sale e pepe. Aggiungi della salsiccia di tacchino e cuoci fino a farla dorare, poi abbassa il fuoco ed aggiungi gli albumi e strapazza.

Quando le uova sono più o meno cotte, aggiungi il pomodoro e gli spinaci, cucina per 2 minuti e servi.

Valori nutrizionali per porzione: 475kcal, 51g proteine, 37g carboidrati (10g fibre, 18g zuccheri), 10g grassi (2g saturi), 14% calcio, 23% ferro, 37% magnesio, 255% vitamina A, 516% vitamina C, 25% vitamina E, 397% vitamina K, 22% vitamina B1, 112% vitamina B2, 29% vitamina B3, 19% vitamina B5, 51% vitamina B6, 65% vitamina B9.

10.   Frappè di frutta e burro d'arachidi

Quale modo migliore per iniziare la giornata che facendo il pieno di calcio in un frullato al gusto di fragola? Con un alto contenuto di minerali, vitamine, proteine e carboidrati per un rifornimento di energia, questo frullato è un modo perfetto per dare inizio alla giornata.

Ingredienti(1 porzione):

15 fragole di media grandezza

1 1/3 cucchiai di burro d'arachidi

85g di tofu

½ tazza di yogurt magro

¾ tazza di latte scremato

1 misurino di proteine in polvere

8 cubetti di ghiaccio

Tempo di preparazione: 5min

Nessuna cottura

Preparazione:

Versa il latte nel frullatore poi lo yogurt e il resto degli ingredienti. Frulla fino ad ottenere un composto completamente amalgamato e spumoso. Versa in un bicchiere e servi.

Valori nutrizionali per porzione: 472kcal, 45g proteine, 40g carboidrati (6g fibre, 31g zuccheri), 13g grassi (4g saturi), 110% calcio, 35% ferro, 27% magnesio, 30% vitamina A, 190% vitamina C, 11% vitamina E, 13% vitamina B1, 24% vitamina B2, 10% vitamina B5, 18% vitamina B6, 17% vitamina B9, 12% vitamina B12.

11. Muffin di proteine al siero di latte

Con una buona dose di avena e una porzione di proteine al siero di latte gusto cioccolato, questi muffin sono una grande colazione alternativa all'avena. In coppia con un bicchiere di latte, questo pasto ti dà una buona quantità di calcio e Vitamina D oltre che proteine e carboidrati.

Ingredienti(4 muffins-2 porzioni):

1 tazza di fiocchi d'avena

1 uovo grande intero

5 albumi

½ misurino di proteine in polvere al cioccolato

uno spruzzo di olio d'oliva

2 tazze di latte scremato, da servire

Tempo di preparazione: 2 min

Tempo di cottura: 15 min

Preparazione:

Riscalda il forno a 190C elettrico/a gas 5.

Frulla tutti gli ingredienti assieme per 30 secondi. Spruzza la teglia dei muffin con olio d'oliva poi dividi in quattro i muffin. Metti in forno per 15 min.

Togli dal forno, lascia raffreddare e servi con il bicchiere di latte.

Valori nutrizionali per porzione (incluso il latte): 330kcal, 28g proteine, 37g carboidrati (9g fibre, 13g zuccheri), 6g grassi (5g saturi), 37% calcio, 22% ferro, 19% magnesio, 12% vitamina A, 34% vitamina D, 44% vitamina B1, 66% vitamina B2, 25% vitamina B5, 11% vitamina B6, 24% vitamina B12.

12. Salmone affumicato e avocado con toast

Sei in per un allenamento duro e con tempi stretti? Ci vogliono solo 5 minuti per mettere insieme questa colazione salata. Sia il salmone che l'avocado sono ricchi di acidi sani e questo pasto ha abbastanza proteine e carboidrati per tenerti motivato.

Ingredienti(2 porzioni):

300g di salmone affumicato

2 avocado medi maturi, pelati e tagliati

Succo di ½ limone

Una manciata di foglie di dragoncello, tritate

2 fette di pane integrale, tostato

Tempo di preparazione: 5 min

No Tempo di cottura

Preparazione:

Taglia l'avocado a pezzetti e mescola il succo di limone. Torci e piega i pezzi di salmone affumicato, mettili nei piatti, poi cospargi di avocado e dragoncello. Servi con pane di grano intero.

Valori nutrizionali per porzione: 550kcal, 34g proteine, 37g carboidrati (12g fibre, 4g zuccheri), 30g grassi (5g saturi), 17% ferro, 24% magnesio, 25% vitamina C, 27% vitamina E, 42% vitamina K, 16% vitamina B1, 24% vitamina B2, 55% vitamina B3, 35% vitamina B5, 40% vitamina B6, 35% vitamina B9, 81% vitamina B12.

13. Colazione 'Pizza'

Dimentica l'alto contenuto calorico, e le fette di pizza poco nutrienti, e sostituiscili con questo delizioso pasto. Sano e abbondante, ci vogliono solo 20 minuti per prepararlo e non solo ha un alto contenuto di proteine, ma anche di minerali e vitamine.

Ingredienti(1 porzione):

1 piccolo pita di grano intero

3 albumi

1 uovo

¼ tazza di mozzarella con basso contenuto di grassi

1 cipollotto, affettato

¼ tazza funghi, a dadini

¼ tazza peperoni, a dadini

2 fette di pancetta di tacchino, tritata

1 cucchiaio olio di oliva

Sale e pepe

Tempo di preparazione: 10 min

Tempo di cottura: 10 min

Preparazione:

Frulla le uova con un pizzico di sale e pepe e aggiungi le verdure tagliate a cubetti.

Piega i bordi del pane pita per creare una ciotola. Spennella entrambi i lati con l'olio d'oliva e metti il pane pita sulla griglia, lato cupola verso il basso. Cuoci fino a doratura poi capovolgi sul lato opposto.

Versa l'uovo mescola nella pita e cuoci fino a quando l'uovo è sono quasi fatto, aggiungi la pancetta di tacchino, la cipolla ed il formaggio. Cuoci fino a quando il formaggio si sarà sciolto e servi.

Valori nutrizionali per porzione: 350kcal, 33g proteine, 12g carboidrati (3g fibre, 4g zuccheri), 15g grassi (6 saturi), 32% calcio, 19% ferro, 15% magnesio, 36% vitamina A, 88% vitamina C, 72% vitamina K, 21% vitamina B1, 71% vitamina B2, 22% vitamina B3, 14% vitamina B5, 21% vitamina B6, 25% vitamina B9, 29% vitamina B12.

14.   Colazione moka messicana

Riempi la tua tazza con l'avena che preferisci e una sana porzione di latte di mandorle e goditi una rapida colazione ricca di fibre. Il pepe di Caienna è perfetto per aggiungere un po' di grinta alla tua farina d'avena.

Ingredienti(1 porzione):

½ tazza farina d'avena

1 misurino di proteine in polvere al cioccolato

½ cucchiaio di cannella

½ cucchiaino di pepe di Cayenna

1 tazza di latte di mandorle non zuccherato

1 cucchiaio di cacao in polvere non zuccherato

Tempo di preparazione: 5 min

Tempo di cottura: 3 min

Preparazione:

Mescola tutti gli ingredienti in una ciotola nel forno a microonde. Riscalda nel forno a microonde per 2 ½ -3 minuti, quindi servi.

Valori nutrizionali per porzione: 304kcal, 27g proteine, 38g carboidrati (8g fibre, 3g zuccheri), 7g grassi, 32% calcio, 15% ferro, 25% magnesio, 10% vitamina A, 25% vitamina D, 51% vitamina E, 12% vitamina B1.

15. Frittelle di mirtilli e limone

Una caldo, saziante colazione, questa frittella di mirtilli arricchita dal sapore del limone è un modo semplice e gustoso per ottenere quel pasto ad alta potenza di cui hai bisogno per iniziare la giornata. Stendi un cucchiaio di yogurt greco in cima alla tua frittella, se vuoi.

Ingredienti(1 porzione):

1/3 tazza crusca di avena

5 albumi

½ tazza di mirtilli

1 misurino di proteine del siero del latte in polvere senza gusto

½ cucchiaino bicarbonato di sodio

1 cucchiaino scorza di limone grattugiata

1 cucchiaio limonata

uno spruzzo di olio d'oliva

Tempo di preparazione: 5 min

Tempo di cottura: 5 min

Preparazione:

Unisci tutti gli ingredienti in una grande ciotola, mescola e frulla fino a renderli una crema.

Cuoci l'impasto in una padella spruzzata di olio a temperatura medio-alta finché si formeranno delle bolle in superficie. Capovolgi e cuoci fino a rendere dorato ogni lato. Togli il pancake e servi.

Valori nutrizionali per porzione: 340kcal, 47g proteine, 37g carboidrati (6g fibre, 14g zuccheri), 5g grassi, 10% ferro, 25% magnesio, 12% vitamina C, 19% vitamina K, 26% vitamina B1, 58% vitamina B2.

PRANZO

16. Riso mediterraneo

Versa il tonno in lattina su un piatto delizioso come antipasto perfetto per un pomeriggio di allenamenti. L'elevata quantità di carboidrati ti sosterrà in un allenamento completo e le proteine faranno in modo che i tuoi muscoli recuperino velocemente dopo lo sforzo.

Ingredienti(1 porzione):

1 vasetto di tonno sott'olio, scolato

100g riso integrale

¼ avocado, tritato

¼ cipolla rossa, a fette

succo di mezzo limone

Sale e pepe

Tempo di preparazione: 5 min

Tempo di cottura: 20 min

Preparazione:

Fai bollire il riso integrale per circa 20 minuti e mettilo nel frullatore con la cipolla, il tonno e l'avocado. Aggiungi il succo del limone e frulla tutti gli ingredienti. Aggiusta di sale e pepe e servi.

Valori nutrizionali per porzione: 590kcal, 32g proteine, 80g carboidrati (7g fibre, 1g zuccheri), 14g grassi (5g saturi), 22% ferro, 52% magnesio, 101% vitamina D, 18% vitamina E, 107% vitamina K, 32% vitamina B1, 134% vitamina B3, 26% vitamina B5, 39% vitamina B6, 15% vitamina B9, 63% vitamina B12.

17. Pollo speziato

Il pollo è perfetto per un pasto ad elevato contenuto di proteine per la costruzione del muscolo. Ad alto contenuto di nutrienti su tutta la linea, questo semplice, gustoso pasto può essere accompagnato da una porzione di carboidrati a scelta.

Ingredienti(2 porzioni):

3 polli disossati tagliati a metà

175g yogurt magro

5cm di cetriolo, finemente tritato

2 cucchiai pasta di curry rosso

2 cucchiai di coriandolo, tritato

2 tazze spinaci, da servire.

Tempo di preparazione: 5 min

Tempo di cottura: 35-40 min

Preparazione:

Preriscalda il forno a 190C ventilato / gas 5. Metti il pollo in un piatto in un unico strato. Frulla un terzo dello yogurt, la pasta di curry e due terzi del coriandolo, aggiungi il sale e versa sopra il pollo, facendo attenzione che la carne sia uniformemente rivestita. Lascia agire per 30 minuti (o durante la notte in frigorifero).

Metti il pollo sulla griglia in una teglia per 35-40 minuti, fino a doratura.

Scalda l'acqua in una pentola e fai appassire gli spinaci.

Mescola il resto dello yogurt e coriandolo, aggiungi il cetriolo e mescola. Versa il composto sopra il pollo e servi con gli spinaci cotti.

Valori nutrizionali per porzione: 275kcal, 43g proteine, 8g carboidrati (1g fibre, 8g zuccheri), 3g grassi (1g saturi), 20% calcio, 15% ferro, 25% magnesio, 56% vitamina A, 18% vitamina C, 181% vitamina K, 16% vitamina B1, 26% vitamina B2, 133% vitamina B3, 25% vitamina B5, 67% vitamina B6, 19% vitamina B9, 22% vitamina B12.

18. Uova ripiene con pane Pita

Fai il pieno di acidi grassi omega-3 con questo ricco piatto di salmone. Ad alto contenuto di vitamine e minerali, questo pasto abbondante è un ottimo modo di aiutare se stessi con l'energia e l'alimentazione per affrontare la giornata.

Ingredienti(2 porzioni):

1 salmone in scatola al naturale (450g)

2 uova

1 grande cipollotto, finemente tritato

2 grandi foglie di lattuga

10 pomodorini

1 cucchiaio di yogurt greco

un grande panino integrale tipo pita, tagliato a metà

Sale marino e pepe

Tempo di preparazione: 10 min

Tempo di cottura: 10 min

Preparazione:

Fai bollire le uova, togli il guscio e tagliale a metà, rimuovi il tuorlo e mettilo nel frullatore.

Aggiungi il salmone in scatola, 1 cucchiaio di yogurt, il cipollotto e i condimenti nel frullatore. Mescola tutto assieme e farcisci gli albumi.

Servi con il pane pita riempito di lattuga e pomodorini.

Valori nutrizionali per porzione: 455kcal, 45g proteine, 24g carboidrati (3g fibre, 2g zuccheri), 36g grassi (10g saturi), 59% calcio, 22% ferro, 21% magnesio, 30% vitamina A, 24% vitamina C, 43% vitamina K, 11% vitamina B1, 36% vitamina B2, 60% vitamina B3, 20% vitamina B5, 41% vitamina B6, 20% vitamina B9, 20% vitamina B12.

19. Involtini di pollo alla cesare

Con questi involtini di pollo farai un pasto pratico e ottimo che ti farà mantenere alti i livelli di proteine per tutta la giornata. Aggiungi anche un po' di spinaci per fare un pasto ancora più salutare.

Ingredienti(1 porzione):

85 g di petto di pollo, cotto

2 tortillas di grano integrale

1 tazza di lattuga

50g yogurt senza grassi

1 cucchiaino di pasta di acciughe

1 cucchiaino di senape in polvere secca

1 spicchio d'aglio, cotto

½ cetriolo medio, tritato

Tempo di preparazione: 5 min

Nessuna cottura

Preparazione:

Unire la pasta di acciughe, aglio e yogurt poi mescola e cospargi con lattuga e cetrioli. Dividi il composto in 2, aggiungi le tortillas e poi metti la metà del pollo in ogni tortilla. Avvolgi e servi.

Valori nutrizionali per porzione (2 tortillas): 460kcal, 41g proteine, 57g carboidrati (7g fibre, 9g zuccheri), 10g grassi (2g saturi), 11% calcio, 22% vitamina K, 13% vitamina B2, 59% vitamina B3, 12% vitamina B5, 29% vitamina B6, 10% vitamina B12.

20. Salmone affumicato con asparagi grigliati

Un piatto classico, reso più interessante da una marinata di succo di limone e senape, questo salmone alla griglia va bene con le punte di asparagi all'aglio. Concediti una grande combinazione di proteine e vitamine.

Ingredienti(1 porzione):

140g salmone selvatico

1 ½ tazza di asparagi

Marinata:

1 cucchiaio di aglio, tritato

1 cucchiaio di senape di Digione

succo di mezzo limone

1 cucchiaino di olio d'oliva

Tempo di preparazione: 5 min

Tempo di cottura: 15 min

Preparazione:

Preriscalda il forno a 200C ventilato/ gas 6.

In un frullatore, mescola il succo di limone, mezzo aglio, olio di oliva e senape, metti la marinata sopra il salmone ed assicurati che ne sia completamente coperto. Metti il salmone marinato a riposare per non meno di un'ora.

Taglia l'ultimo pezzo dei bambi degli asparagi. Metti sul fuoco una padella antiaderente a medio / alto calore, metti a rosolare gli asparagi con l'aglio rimasto per circa 5 minuti, girandoli su tutti i lati.

Metti il salmone su una teglia e cuoci per 10 minuti poi servi con gli asparagi alla griglia.

Valori nutrizionali: 350kcal, 43g proteine, 7g carboidrati (5g fibre, 1 g zuccheri), 16g grassi (1 saturi), 17% ferro, 20% magnesio, 48% vitamina A, 119% vitamina C, 17% vitamina E, 288% vitamina K, 39% vitamina B1, 60% vitamina B2, 90% vitamina B3, 33% vitamina B5, 74% vitamina B6, 109% vitamina B9, 75% vitamina B12.

21.   Pasta con Polpette di carne di manzo e spinaci

Un piatto di pasta con alto contenuto proteico che accoppia la carne di manzo e gli spinaci. Non solo è un piatto con vitamine a tutto tondo, ma contiene anche una quantità abbondante di magnesio, che aiuta a regolare la contrazione muscolare.

Ingredienti(2 porzioni):

Per le polpette:

170g carne macinata magra

½ tazza spinaci, tagliuzzate

1 cucchiaio di aglio tritato

¼ di tazza di cipolla rossa, tagliata a dadini

1 cucchiaino di cumino

Sale marino e pepe

Per la Pasta:

100 g di pasta di grano agli spinaci

10 pomodorini

2 Tazze spinaci

¼ tazza marinara

2 cucchiai di parmigiano a basso contenuto di grassi

Tempo di preparazione: 15 min

Tempo di cottura: 30 min

Preparazione:

Preriscalda il forno a 200C/ gas 6.

Mescola la carne macinata, spinaci, aglio, cipolla rossa e sale e pepe a piacere. Mescola bene con le mani fino a quando gli spinaci sono completamente mescolati nella carne.

Forma due o tre polpette, più o meno delle stesse dimensioni poi mettile su una teglia nel forno per 10-12 minuti.

Cuoci la pasta secondo le istruzioni sulla confezione. Scola la pasta e manteca con il pomodoro, spinaci e formaggio. Aggiungi le polpette e servi.

Valori nutrizionali per porzione: 470kcal, 33g proteine, 50g carboidrati (6g fibre, 5g zuccheri), 12g grassi (5g saturi), 17% calcio, 28% ferro, 74% magnesio, 104% vitamina A, 38% vitamina C, 11% vitamina E, 361% vitamina K, 16% vitamina B1, 20% vitamina B2, 45% vitamina B3, 11% vitamina B5, 45% vitamina B6, 35% vitamina B9, 37% vitamina B12.

22. Petto di Pollo farcito con Riso integrale

Il Riso integrale è un ottimo modo per introdurre carboidrati di qualità per la tua dieta. Assieme alle molte proteine contenute nel petto di pollo e alcune verdure avrai un delizioso pranzo energetico.

Ingredienti(1 porzione):

170g di petto di pollo

½ tazza spinaci

50g riso integrale

1 Cipollotto, tagliato a dadini

1 pomodoro, fette

1 cucchiaio di formaggio feta

Tempo di preparazione: 10 min

Tempo di cottura: 30 min

Preparazione:

Preriscalda il forno a 190C ventilato / gas 5.

Taglia il petto di pollo dal basso al centro per farlo sembrare una farfalla. Condisci il pollo con Sale e pepe, poi aprilo e mettici uno strato di spinaci, formaggio feta e fette di pomodoro su un lato. Piega il petto di pollo e utilizza uno stuzzicadenti per tenerlo chiuso poi cuoci per 20 min.

Fai bollire il riso integrale quindi aggiungi l'aglio tritato e la cipolla. Riempi un piatto con riso integrale, mettici sopra il pollo e servi.

Valori nutrizionali per porzione: 469kcal, 48g proteine, 46g carboidrati (5g fibre, 6g zuccheri), 8g grassi (5g saturi), 22% calcio, 18% ferro, 38% magnesio, 55% vitamina A, 43% vitamina C, 169% vitamina K, 28% vitamina B1, 28% vitamina B2, 103% vitamina B3, 28% vitamina B5, 70% vitamina B6, 23% vitamina B9, 17% vitamina B12.

23. Linguine in insalata con gamberi e zucchine

Un finto piatto di pasta con una porzione di zucchine e gamberetti triturati al vapore conditi con i semi di sesamo. Questa combinazione di ingredienti crea un pranzo leggero con un alto contenuto di proteine.

Ingredienti(1 porzione):

170g di gamberetti al vapore

1 grande zucchine, tritate

¼ tazza Cipolla Rossa, a fette

1 tazza peperoni, a fette

1 cucchiaio di burro arrostito Tahini

1 cucchiaino di olio di sesamo

1 cucchiaino di semi di sesamo

Tempo di preparazione: 10 min

Nessuna cottura

Preparazione:

Tagliare le zucchine con un trituratore per dare la forma delle linguine.

In una ciotola, mescola il tahini e l'olio di sesamo.

Metti tutto gli ingredienti una grande ciotola, versa la salsa Tahini e spargila per assicurarsi che tutti i lati siano coperti di salsa. Cospargi un po' con semi di sesamo e servi.

Valori nutrizionali per porzione: 420kcal, 45g proteine, 26g carboidrati (10g fibre, 12g zuccheri), 18g grassi (2g saturi), 19% calcio, 47% ferro, 48% magnesio, 33% vitamina A, 303% vitamina C, 17% vitamina E, 31% vitamina K, 38% vitamina B1, 36% vitamina B2, 38% vitamina B3, 13% vitamina B5, 66% vitamina B6, 35% vitamina B9, 42% vitamina B12.

24.   Polpettone di tacchino con couscous di grano

Cotto in una teglia per muffin, questo polpettone di tacchino riesce a ridurre al minimo l'assunzione Grassi saturi. Mescola un po' aggiungendo peperone e funghi al posto di cipolla nelle polpette e condisci con un pizzico di aglio.

Ingredienti(1 porzione):

140g carne magra di tacchino

¾ tazza di cipolle rosse, a dadini

1 tazza spinaci

1/3 tazza salsa alla marinara poco salata

½ tazza di couscous di grano, bollito

scelta di condimento tra: prezzemolo, basilico, coriandolo

pepe, sale

uno spruzzo di olio d'oliva

Tempo di preparazione: 5 min

Tempo di cottura: 20 min

Preparazione:

Preriscalda il forno a 200C ventilato / gas 6.

Marina il tacchino con il condimento a tua scelta e aggiungi le cipolle tagliate a dadini.

Spruzza il tuo stampo con olio d'oliva, metti il tacchino sul fondo con le verdure. Metti sopra ogni polpetta di tacchino 1 cucchiaio salsa marinara, quindi inserisci nel forno e cuoci per 8-10 minuti.

Servi con couscous.

Valori nutrizionali per porzione: 460kcal, 34g proteine, 53g carboidrati (4g fibre, 7g zuccheri), 12g grassi (4g saturi), 12% calcio, 15% ferro, 10% magnesio, 16% vitamina A, 15% vitamina C, 11% vitamina E, 16% vitamina K, 11% vitamina B1, 25% vitamina B3, 16% vitamina B6, 11% vitamina B9.

25.   Hamburger di tonno ed Insalata

L'hamburger di tonno è ad alto contenuto di proteine e carboidrati, che lo rende una scelta eccellente per un pasto in un giorno di allenamento. Risolvi il problema in modo diverso ogni volta e rendilo interessante scambiando le verdure e il tuo condimento per l'insalata.

Ingredienti(1 porzione):

1 confezione di tonno in scatola (165g)

1 albume

½ tazza di funghi tritati

2 Tazze lattuga, tagliuzzate

¼ tazza di avena secca

1 cucchiaino di olio d'oliva

1 cucchiaio di condimento magro (quello che preferisci)

Un mazzetto di origano, tritato

1 rotolo medio di grano tagliato a metà

Tempo di preparazione: 10 min

Tempo di cottura: 10 min

Preparazione:

Mescola l'albume, il tonno, l'avena a secco, l'origano e formare un tortino.

Scalda l'olio in una padella antiaderente a fuoco medio, metti la pastella e poi capovolgila per assicurarsi che la cottura avvenga su entrambi i lati.

Taglia l'intero rotolo di grano a metà, in senso orizzontale, posiziona la pastella tra i 2 pezzi.

Mescola le verdure in una ciotola, aggiungi il condimento e servi accanto all' hamburger di tonno.

Valori nutrizionali per porzione: 560kcal, 52g proteine, 76g carboidrati (13g fibre, 7g zuccheri), 10g grassi (1g saturi), 11% calcio, 35% ferro, 38% magnesio, 16% vitamina A, 16% vitamina K, 35% vitamina B1, 33% vitamina B2, 24% vitamina B3, 28% vitamina B5, 41% vitamina B6, 21% vitamina B9, 82% vitamina B12.

26. Spiedini piccanti di manzo

Questo kebab piccante viene servito con un contorno di patate al forno, rendendolo non solo un pasto adatto alla costruzione del muscolo, ma anche un ottimo modo per migliorare la vista con la vitamina A nella tua dieta. Aggiungi un cucchiaio di yogurt a basso contenuto di grassi sulle patate per renderlo più rinfrescante.

Ingredienti(1 porzione):

140g polpa di manzo bistecca fianco

200g di Patata dolce

1 peperone, tritato

½ zucchine medie, tritate

aglio tritato

pepe, sale

Tempo di preparazione: 15 min

Tempo di cottura: 55 minuti

Preparazione:

Preriscalda il forno a 200C ventilato / gas 6. Avvolgi la patata dolce in un foglio, mettila in forno e cuoci per 45 min.

Taglia la bistecca in piccoli pezzi, condisci con sale, pepe e aglio. Monta il kebab, alternando manzo, zucchine e peperone.

Posiziona il kebab su una teglia e cuoci per 10 min. Servi con la patata dolce.

Valori nutrizionali per porzione: 375kcal, 38g proteine, 49g carboidrati (9g fibre, 12g zuccheri), 4g grassi (1g saturi), 24% ferro, 27% magnesio, 581% vitamina A, 195% vitamina C, 21% vitamina K, 22% vitamina B1, 28% vitamina B2, 61% vitamina B3, 28% vitamina B5, 92% vitamina B6, 20% vitamina B9, 30% vitamina B12.

27.   Trota con patate in insalata

Hai paura di avere una carenza di vitamina B12? Allora prova questa abbondante porzione di trote, assieme ad una nutriente e ricca di vitamine insalata fresca di patate.

Ingredienti(2 porzioni):

2 * 140g filetti di trota

Patate 250g di polpa, dimezzate

4 cucchiaini di yogurt

4 cucchiaini di maionese magra

1 Cucchiaio di capperi, sciacquati

4 piccoli cornichons, a fette

2 cipollotti, Finemente affettati

¼ di cetriolo, tagliati a dadini

1 limone, la scorza di ½

Tempo di preparazione: 10 min

Tempo di cottura: 20 min

Preparazione:

Lessa le patate in acqua salata per 15 Minuti fino a quando sono leggermente tenere. Scola e sciacqua sotto l'acqua fredda, poi asciugale di nuovo.

Scalda il grill.

Mescola la maionese e yogurt e condisci con un po' di succo di limone. Mescola la miscela nelle patate con i capperi, la maggior parte delle cipolle, cetrioli e cetriolini. Cospargi l'insalata con il resto delle cipolle.

Condisci la trota, griglia su una teglia, la pelle rivolta verso il basso, fino a renderla abbastanza cotta. Cospargi con la scorza di limone e servi con l'insalata di patate.

Valori nutrizionali per porzione: 420kcal, 38g proteine, 28g carboidrati (3g fibre, 6g zuccheri), 13g grassi (3g saturi), 12% calcio, 11% ferro, 22% magnesio, 29% vitamina C, 59% vitamina K, 21% vitamina B1, 18% vitamina B2, 12% vitamina B3, 22% vitamina B5, 43% vitamina B6, 18% vitamina B9, 153% vitamina B12.

28. Chili di fagioli messicani

Con un alto contenuto di proteine per un pasto di mezzogiorno, questo piatto è un ottimo modo per ottenere 1/3 della quantità necessaria giornaliera di fibra. Anche se ha già abbastanza nutrienti per essere un pasto stand-alone, può anche essere servito sopra un letto di riso integrale.

Ingredienti(2 porzioni):

250g carne macinata

200g fagioli in scatola

75ml brodo di carne

½ cipolla, tagliata a dadini

½ peperone rosso a dadini

1 cucchiaino di pasta chipotle

1 cucchiaino di olio d'oliva

½ cucchiaino di peperoncino in polvere

1 tazza riso integrale, bollito (facoltativo)

foglie di coriandolo, per guarnire

Tempo di preparazione: 5 min

Tempo di cottura: 45 min

Preparazione:

Scalda l'olio in una padella antiaderente a fuoco medio quindi soffriggi la cipolla e peperoncino fino ad ammorbidirli. Aumenta la fiamma e aggiungere la polvere di peperoncino e cuoci per 2 Minuti prima di aggiungere la carne macinata. Cuoci fino a doratura e quando tutto il liquido sarà evaporato.

Inserisci nel brodo di manzo, i fagioli al forno e la pasta chipotle. Fai bollire a fuoco lento per 20 minuti, poi togli dal fuoco, cospargi di foglie di coriandolo e servi con il riso bollito.

Valori nutrizionali per porzione (senza riso): 402kcal, 34g proteine, 19g carboidrati (5g fibre, 10g zuccheri), 14g grassi (5g saturi), 29% ferro, 15% magnesio, 42% vitamina C, 11% vitamina B1, 16% vitamina B2, 34% vitamina B3, 40% vitamina B6, 18% vitamina B9, 52% vitamina B12.

½ tazza di riso: 108kcal

29. Tagliatelle con manzo e broccoli

Un comodo, gustoso piatto, le tagliatelle di manzo e broccoli richiedono solo 20 Minuti di preparazione, e le rende la scelta ideale per una giornata impegnativa. Le puoi servire con un paio di fette di peperoncino rosso per un po' di pepe in più.

Ingredienti(2 porzioni):

2 Tazze uovo tagliatelle

200g di manzo a striscioline

1 cipollotto, affettato

½ testa di broccoli, piccoli fiorellini

1 cucchiaino di olio di sesamo

Per la salsa:

1 ½ cucchiaio di salsa di soia poco salata

1 cucchiaino di ketchup

1 spicchio d'aglio, schiacciato

1 cucchiaio di salsa di ostriche

¼ pizzico di zenzero, Finemente grattugiato

1 cucchiaino di aceto di vino bianco

Tempo di preparazione: 10 min

Tempo di cottura: 10 min

Preparazione:

Mescola gli ingredienti per la salsa. Lessa la pasta secondo le istruzioni del pacchetto. Inserisci i broccoli quando è quasi pronta. Lascia insaporire per qualche minuto, quindi scola la pasta e i broccoli.

Scalda l'olio in un wok fino a renderlo molto caldo quindi soffriggi la carne per 2-3 minuti fino a doratura. Aggiungi la salsa, mescola e lascia sobbollire per qualche minuto poi spegni il fuoco.

Mescola la carne bovina nelle tagliatelle, cospargi con il cipollotto e servi subito.

Valori nutrizionali per porzione: 352kcal, 33g proteine, 39g carboidrati (5g fibre, 5g zuccheri), 9g grassi (2g saturi), 20% ferro, 20% magnesio, 20% vitamina A, 224% vitamina C, 214% vitamina K, 14% vitamina B1, 19% vitamina B2, 43% vitamina B3, 18% vitamina B5, 50% vitamina B6, 31% vitamina B9, 23% vitamina B12.

30. Merlano avvolto nella pancetta con patate

Questa degustazione fresca e leggera fornisce un sacco di energia ed è ad alto contenuto di proteine, che la rende una scelta ideale per un pasto del mezzogiorno. Il merlano può essere sostituito con un altro pesce bianco simile, mentre le olive possono essere sostituite da pomodori secchi.

Ingredienti(2 porzioni):

2 * 140g filetti di merlano

4 fette di pancetta

300g patate novelle

100g di Fagiolini

30g di Olive kalamata

il succo e la scorza di 1 limone

2 cucchiai di olio d'oliva

qualche rametto di dragoncello, foglie

Tempo di preparazione: 10 min

Tempo di cottura 15 min

Preparazione:

Scalda il Forno a 200C ventilato / gas 6. Fai bollire le patate per 10-12 Minuti finché sono tenere, aggiungi i fagiolini per gli ultimi 2-3 min. Scola bene, taglia le patate a metà e adagiale in una teglia. Mescola con le olive, scorza di limone e l'olio e fai riposare.

Condisci il pesce e avvolgilo con la pancetta poi mettilo sopra le patate. Cuoci in forno per 10-12 Minuti fino a cottura completa, quindi aggiungi il succo di limone, cospargi con dragoncello e servi.

Valori nutrizionali per porzione: 525kcal, 46g proteine, 36g carboidrati (5g fibre, 3g zuccheri), 31g grassi (8g saturi), 10% ferro, 31% magnesio, 63% vitamina C, 18% vitamina K, 15% vitamina B1, 13% vitamina B2, 14% vitamina B3, 25% vitamina B6, 73% vitamina B12.

CENA

31. Sushi in ciotola

Una ciotola di sushi a basso contenuto calorico che sostituisce il riso, con il cavolfiore condito con aglio, salsa di soia e succo di lime per un gusto in più. Utilizza i fogli di alga per avvolgere i cavolfiori ed il salmone per fare un mini rullo.

Ingredienti(2 porzioni):

170g di salmone affumicato

1 avocado di medie dimensioni

½ testa di cavolfiore, cotta a vapore e tritata

1/3 tazza di carote, tagliuzzate

½ cucchiaino di cayenna

1.2 cucchiaino di aglio in polvere

1 cucchiaio di salsa di soia con poco sale

2 fogli di alghe

Succo di ½ lime

Tempo di preparazione: 10 min

Nessuna cottura

Preparazione:

Metti il cavolfiore, carote, salsa di soia, aglio, succo di lime e pepe di Caienna in un robot da cucina. Arresta la miscelazione prima che l'impasto risulti una crema. Servi accanto ai fogli di salmone e alghe.

Valori nutrizionali per porzione: 272kcal, 20g proteine, 13g carboidrati (7g fibre, 4g zuccheri), 16g grassi (1g saturi), 10% ferro, 14% magnesio, 73% vitamina A, 88% vitamina C, 13% vitamina E, 40% vitamina K, 18% vitamina B1, 15% vitamina B2, 31% vitamina B3, 21% vitamina B5, 31% vitamina B6, 26% vitamina B9, 45% vitamina B12.

32.   Pollo in agrodolce

Il pollo in agrodolce è una deliziosa ricetta semplice che ha un posto d'onore in ogni cucina per gli sportivi. Ha un alto contenuto di proteine e vitamine e ben si sposa con fiori di broccoli al vapore.

Ingredienti(2 porzioni):

300g di Petti di pollo tagliati a bocconcini

1 cucchiaino di aglio sale

¼ tazza brodo di pollo con poco sale

¼ di tazza di aceto bianco

¼ dolcificante non calorico

¼ cucchiaino di pepe nero

1 cucchiaino di salsa di soia con poco sale

3 cucchiaini di Ketchup con pochi zuccheri

maranta

400g fiori di broccoli al vapore

Tempo di preparazione: 10 min

Tempo di cottura 15 min

Preparazione:

Metti il pollo in una grande ciotola e condisci con l'aglio, pepe e sale, cercando di ricoprire tutto. Cuoci il pollo a fuoco medio / alto fino a cottura.

Nel frattempo, metti insieme il brodo di pollo, dolcificante, aceto, ketchup e salsa di soia in una casseruola, porta la miscela ad ebollizione e gira a fuoco basso. Aggiungi la maranta un po' alla volta e sbatti energicamente. Mescola per qualche minuto.

Versa la salsa sul pollo cotto e servi con broccoli al vapore a parte.

Valori nutrizionali per porzione: 250kcal, 40g proteine, 14g carboidrati (6g fibre, 4g zuccheri), grassi 2g, 11% calcio, 14% ferro, 20% magnesio, 24% vitamina A, 303% vitamina C, 254% vitamina K, 17% vitamina B1, 21% vitamina B2, 90% vitamina B3, 24% vitamina B5, 58% vitamina B6, 33% vitamina B9.

33.   Hummus all'aglio

Ci vogliono sono 5 minuti per preparare questo salutare e delizioso pasto. E' pieno zeppo di magnesio e dispone di una discreta quantità di proteine considerando la ricetta è senza carne. Prendi una tortilla di grano intero e prepara questo piatto.

Ingredienti(3 porzioni):

1 * 400g di ceci in scatola (salva 1/4 del liquido)

¼ tazza di tahini

¼ di tazza di succo di limone

1 spicchio d'aglio

1 cucchiaio di olio d'oliva

¼ di cucchiaino di zenzero in polvere

¼ cucchiaino di cumino macinato

2 cipollotti, finemente tritati

1 pomodoro, tritato

Tempo di preparazione: 5 min

Nessuna cottura

Preparazione:

Inserisci i ceci, liquido, tahini, succo di limone, olio d'oliva, aglio, cumino e zenzero in un robot da cucina e frulla fino a farli diventare una crema.

Incorpora il pomodoro e lo scalogno e condisci con sale e pepe. Servi accanto a fette di peperone.

Valori nutrizionali per porzione: 324kcal, 11g proteine, 21g carboidrati (7g fibre, 1g zuccheri), 17g grassi (2g saturi), 22% calcio, 54% ferro, 135% magnesio, 10% vitamina A, 12% vitamina C, 33% vitamina K, 122% vitamina B1, 12% vitamina B2, 44% vitamina B3, 11% vitamina B5, 12% vitamina B6, 40% vitamina B9.

34. Pollo con ananas e peperoni

Prenditi una pausa dalle solite ricette di pollo e prova questa versione con il dolce ananas fresco. Ad alto contenuto di vitamina B3 e proteine, questo pasto è anche una fonte importante di carboidrati. Per variare, è possibile sostituire il riso con la quinoa.

Ingredienti(1 porzione):

140g di petto di pollo disossato

1 cucchiaio di senape

½ tazza di ananas fresco tagliato a dadini

½ tazza di peperoni a dadini

50g riso integrale

Una spruzzata di Olio di cocco

1 cucchiaino di cumino

Sale e pepe

Tempo di preparazione: 5 min

Tempo di cottura: 15 minuti

Preparazione:

Taglia il pollo a pezzetti poi strofina la senape sui pezzi e condisci con sale, pepe e cumino.

Metti una padella a fuoco medio e ungi leggermente con olio di cocco, aggiungi il pollo e cuoci su tutti i lati. Quando il pollo è quasi finito, alza il fuoco e getta dei pezzi di ananas e peperoni, cucina e fai in modo che tutti i lati siano marroni. Questo dovrebbe prenderti 3-5 min.

Fai bollire il riso integrale e servi accanto al pollo.

Valori nutrizionali per porzione: 377kcal, 37g proteine, 50g carboidrati (6g fibre, 10g zuccheri), 1g grassi, 12% ferro, 33% magnesio, 168% vitamina C, 26% vitamina B1, 13% vitamina B2, 96% vitamina B3, 22% vitamina B5, 65% vitamina B6, 10% vitamina B9.

35.   Frullato di proteine in stile messicano

Concediti una pausa a base di carne e metti questi ingredienti assieme per una gustosa alternativa al solito. È possibile saltare i grassi fritti e calorie malsane e ottenere comunque il sapore di un pasto messicano.

Ingredienti:

1/3 tazza di fagioli neri bolliti

½ tazza riso integrale cotto

2 cucchiai di salsa

¼ di avocado, tagliato

Tempo di preparazione: 5 min

Nessuna cottura

Preparazione:

Frulla assieme tutti gli ingredienti e servi.

Valori nutrizionali per porzione: 307kcal, 11g proteine, 48g carboidrati (11g fibre, 1g zuccheri), 7g grassi (1g zuccheri), 26% magnesio, 13% vitamina K, 16% vitamina B1, 11% vitamina B3, 17% vitamina B6, 30% vitamina B9.

36. Insalata di pollo e rucola

Le foglie di rucola aggiungono una certa soddisfazione a questa insalata dolce e super sana. L'abbondanza di verdure e una fonte di proteine di qualità, in questo pasto possono arricchirsi di semplice condimento di yogurt a basso contenuto di grassi e aglio.

Ingredienti(1 porzione):

120g di petto di pollo

5 carote, tritate

¼ di cavolo rosso, tritato

½ tazza rucola

1 Cucchiaio di semi di girasole

1 cucchiaino di olio d'oliva

Tempo di preparazione: 10 min

Tempo di cottura: 10 min

Preparazione:

Taglia il pollo a cubetti delle dimensioni di un boccone. Scalda l'olio in una padella antiaderente e friggi il pollo fino a quando non è cotto. Metti da parte e fai raffreddare.

Metti le carote, rucola e cavolo in una grande ciotola. Guarnisci l'insalata con il pollo e semi di girasole raffreddati e servi.

Valori nutrizionali per porzione: 311kcal, 30g proteine, 9g carboidrati (1g fibre), 13g grassi (1g saturi), 11% ferro, 22% magnesio, 150% vitamina A, 25% vitamina C, 29% vitamina E, 32% vitamina K, 23% vitamina B1, 10% vitamina B2, 72% vitamina B3, 11% vitamina B5, 49% vitamina B6, 17% vitamina B9.

37.   Halibut con senape di Dijon

Questo pasto di halibut piccante è un modo veloce e facile, per avere una dose abbondante di proteine. E' a basso contenuto di carboidrati e con alto contenuto di vitamine, scelta perfetta per la cena. Il basso contenuto calorico permette di raddoppiare la salsa se ti sentirai indulgente.

Ingredienti(2 porzioni):

220g di halibut

¼ di cipolla, tagliata a dadini

1 peperone rosso a dadini

1 spicchio d'aglio

1 cucchiaio di senape di Digione

1 cucchiaino di salsa Worcester

1 cucchiaino di olio d'oliva

succo di 1 limone

un mazzetto di prezzemolo

2 grandi carote tagliate a bastoncini

1 tazza di fiori di broccoli

1 tazza di funghi, affettati

Tempo di preparazione: 10 min

Tempo di cottura: 20 min

Preparazione:

Metti il peperone rosso, aglio, prezzemolo, senape, cipolla salsa Worcester, succo di limone e olio d'oliva in un robot da cucina.

Metti il pesce, salsa e il resto delle verdure in un grande sacchetto adatto alla cottura. Cuoci in forno a 190C ventilato / gas 5 per 20 minuti e servi.

Valori nutrizionali per porzione: 225kcal, 33g proteine, 12g carboidrati (3g fibre, 5g zuccheri), 5g grassi (1g saturi), 11% calcio, 10% ferro, 35% magnesio, 180% vitamina A, 77% vitamina C, 71% vitamina K, 13% vitamina B1, 19% vitamina B2, 51% vitamina B3, 14% vitamina B5, 34% vitamina B6, 15% vitamina B9, 25% vitamina B12.

38. Pollo cotto in vassoio

Veloce, facile e gustoso, questo piatto può essere un'idea estiva nella tua cucina con accompagnamento di pomodorini. Il pesto aggiunge un sapore fresco per un petto di pollo condito in modo semplice.

Ingredienti(2 porzioni):

300g di petto di pollo

300g pomodorini

2 cucchiai di pesto

1 cucchiaio di olio d'oliva

sale, pepe

Tempo di preparazione: 5 min

Tempo di cottura: 15 min

Preparazione:

Metti il petto di pollo in una teglia, insaporisci, condisci con l'olio d'oliva e poi metti sotto al grill per 10 minuti. Aggiungi i pomodorini e cucina per altri 5 minuti fino a quando il pollo sarà cotto. Stendi del pesto sul vassoio e servi con accanto i pomodorini.

Valori nutrizionali per porzione: 312kcal, 36g proteine, 7g carboidrati (2g fibre, 5g zuccheri), 19g grassi (4g saturi), 15% magnesio, 25% vitamina A, 34% vitamina C, 11% vitamina E, 20% vitamina K, 10% vitamina B1, 88% vitamina B3, 13% vitamina B5, 33% vitamina B6.

39.   Hamburger di Tofu

Tofu ha tutti gli aminoacidi essenziali, che lo rendono un perfetto sostituto della carne. Le cipolle caramellate con fiocchi di peperoncino e Sriracha, in coppia con il teriyaki delizieranno il vostro palato.

Ingredienti(1 porzione):

85g tofu (extra sodo)

1 Cucchiaio teriyaki marinato

1 Cucchiaio Sriracha

1 foglia di lattuga

30g di carote, tagliuzzate

¼ Cipolla Rossa, a fette

½ cucchiaino di fiocchi di peperoncino rosso

1 rotolo di grano di medie dimensioni rotolo di grano

Tempo di preparazione: 5 min

Tempo di cottura: 10 min

Preparazione:

Scalda la griglia.

Marina il tofu in teriyaki marinato, fiocchi di peperoncino rosso e Sriracha poi metti a grigliare per 3-5 minuti su ogni lato.

Soffriggi la cipolla rossa in una padella antiaderente fino a caramellarla.

Taglia il rotolo a metà per aprirlo come un libro. Farcisci il rotolo con il tofu alla griglia, cipolle caramellate, carote e lattuga e servi.

Valori nutrizionali per porzione: 194kcal, 11g proteine, 28g carboidrati (5g fibre, 8g zuccheri), 5g grassi (1g saturi), 21% calcio, 14% ferro, 19% magnesio, 95% vitamina A, 10% vitamina B1, 14% vitamina B6.

40.   Merluzzo piccante

Ad alto contenuto di proteine e grassi sani e povero di carboidrati, questo super piccante merluzzo darà una scossa al resto della tua giornata. Servi con un po' di riso integrale se hai bisogno di una spinta di carboidrati per un allenamento serale e aggiungi altri 2 peperoni, se ti senti in grado di gestire più spezie.

Ingredienti(2 porzioni):

340g di merluzzo bianco

10 pomodorini, tagliati a metà

2 peperoni jalapeno, a fette

2 cucchiai di olio d'oliva

sale marino

peperoncino in polvere

Tempo di preparazione: 5 min

Tempo di cottura: 10 min

Preparazione:

Scalda l'olio in una padella antiaderente. Cospargi il merluzzo con sale e peperoncino, metti in padella e cuoci per 10 minuti a fuoco medio. Mescolaci i peperoni 1-2 minuti prima che il pesce sia cotto.

Servi con pomodorini.

Valori nutrizionali per porzione: 279kcal, 30g proteine, 6g carboidrati (1g fibre, 1 g zuccheri), 16g grassi (2g saturi), 11% magnesio, 17% vitamina A, 38% vitamina C, 26% vitamina E, 33% vitamina K, 24% vitamina B3, 43% vitamina B6, 26% vitamina B12.

41. Funghi grigliati e hamburger di zucchine

I funghi Portobello hanno una spessa consistenza carnosa che li rende apprezzatissimi tra i vegetariani e gli amanti della carne allo stesso modo. Concediti hamburger della natura per avere un carico di minerali e vitamine ad un contenuto calorico minimo.

Ingredienti(1 porzione):

1 grande fungo portobello

¼ piccole zucchine a fette

1 cucchiaino peperoni arrosto

1 fetta di formaggio magro

4 foglie di spinaci

Uno spruzzo di olio d'oliva

1 rotolo medio di grano intero

Tempo di preparazione: 5 min

Tempo di cottura: 5 minuti

Preparazione:

Scalda la griglia. Spruzza la cappella del fungo con olio di oliva e metti sulla griglia con le fette di zucchina.

Taglia il rotolo a metà, in senso orizzontale, quindi posiziona gli strati degli ingredienti su una metà e ricopri con l'altra. Servi immediatamente.

Valori nutrizionali per porzione: 185kcal, 12g proteine, 24g carboidrati (4g fibre, 5g zuccheri), 4g grassi (1g saturi), 21% calcio, 17% ferro, 20% magnesio, 78% vitamina A, 28% vitamina C, 242% vitamina K, 15% vitamina B1, 37% vitamina B2, 26% vitamina B3, 16% vitamina B5, 16% vitamina B6, 31% vitamina B9.

42. Pesce mediterraneo

Quale modo migliore per raggiungere il tuo fabbisogno giornaliero di vitamina B12 che con una serie di piatti dai sapori mediterranei? Le vitamine e minerali sono ben rappresentati e il conteggio delle proteine è buono per una cena leggera.

Ingredienti(2 porzioni):

200g trota fresca

2 pomodori medio-grandi

3 cucchiaini di capperi

½ peperone rosso, tritato

1 spicchio d'aglio, tritato

10 olive verdi, a fette

¼ di cipolla, tritata

½ tazza di spinaci

1 cucchiaio di olio d'oliva

Sale e pepe

Tempo di preparazione: 10 min

Tempo di cottura: 15 min

Preparazione:

Scalda una padella a fuoco medio; aggiungi i pomodori interi, aglio e olio d'oliva. Copri e fai cuocere a fuoco lento per qualche minuto fino a quando i pomodori cominciano ad ammorbidirsi.

Aggiungi la cipolla, peperone, olive, capperi, Sale e pepe (e un po' d'acqua se necessario). Copri e fai cuocere a fuoco lento fino a quando i pomodori si sgonfiano e il peperone e la cipolla si saranno ammorbiditi.

Aggiungi la trota, copri e cuoci in camicia per 5-7 min.

Aggiungi gli spinaci all'ultimo minuto quindi servi.

Valori nutrizionali per porzione: 305kcal, 24g proteine, 7g carboidrati (1g fibre, 4g zuccheri), 11g grassi (3g saturi), 10% calcio, 12% magnesio, 36% vitamina A, 56% vitamina C, 62% vitamina K, 13% vitamina B1, 33% vitamina B3, 12% vitamina B5, 25% vitamina B6, 15% vitamina B9, 105% vitamina B12.

43. Cena simpatica per vegani

Un pasto simpatizzante per vegani con una buona quantità di proteine e Vitamine. Lascia nella tua bocca il gusto che merita con questa salsa dolce e piccante che ha dentro il sapore del tofu ed è facile da fare.

Ingredienti(2 porzioni):

340g tofu

¼ di tazza di salsa di soia

¼ tazza Zucchero di canna

2 cucchiaini olio di sesamo

1 cucchiaino di olio d'oliva

1 cucchiaino fiocchi di peperoncino

2 spicchi d'aglio, tritati

1 cucchiaino di zenzero, grattugiato fresco

sale

Tempo di preparazione: 5 min

Tempo di cottura: 15 min

Preparazione:

Mescola zucchero di canna, salsa di soia, olio di sesamo, zenzero, peperoncino e scaglie di sale in una ciotola e metti da parte.

Versa l'olio d'oliva in una casseruola e calore poi friggi il tofu per circa 10 min.

Versa la salsa nella padella e cuoci per 3-5 minuti. Servi quando la salsa è addensata e il tofu è fatto.

Valori nutrizionali per porzione: 245kcal, 17g proteine, 15g carboidrati (1g fibre, 11g zuccheri), 15g grassi (3g saturi), 34% calcio, 19% ferro, 19% magnesio, 11% vitamina B2, 11% vitamina B6.

44. Tonno sciolto

A differenza di un piatto di tonno fuso ad alto contenuto di grassi saturi e carboidrati, questo piatto ha una quantità moderata di carboidrati e proteine presenti in una manciata di tonno, e lo rende un pasto eccellente che supporta la crescita muscolare magra.

Ingredienti(2 porzioni):

1 scatoletta di tonno (165g)

2 fette di mozzarella magra

2 cucchiaino di salsa di pomodoro

1 muffin di grano intero inglese

una spolverata di origano

Tempo di preparazione: 5 min

Tempo di cottura: 3 min

Preparazione:

Preriscalda il forno a 190C ventilato / gas 5.

Taglia il muffin inglese e poi condisci ogni metà con la salsa di pomodoro. Metti sopra il tonno, cospargi con l'origano e mettici sopra a tutto una fetta di formaggio. Metti a sciogliere nel forno e cuoci per 2-3 minuti o fino a quando il formaggio si sarà sciolto, poi dividi in 2 piatti e servi.

Valori nutrizionali per porzione: 255kcal, 31g proteine, 14g carboidrati (2g fibre, 2 g zuccheri), 6g grassi (4g saturi), 29% calcio, 11% ferro, 13% magnesio, 10% vitamina B1, 10% vitamina B2, 60% vitamina B3, 23% vitamina B6, 52% vitamina B12.

45.   Insalata di pollo e avocado

Un pasto che fornisce un grande equilibrio di proteine di qualità e Grassi sani che ti soddisferanno senza strafare sul fronte carboidrati. Sostituisci l'aceto con succo di limone per una sensazione di fresco.

Ingredienti(1 porzione):

100g di petto di pollo

1 cucchiaino di paprika affumicata

2 cucchiaini olio d'oliva

Per l'insalata:

½ avocado medio, tagliato a dadini

1 pomodoro medio, tritato

½ cipolla rossa piccola, tagliata a fette sottili

1 cucchiaio di prezzemolo, tritato grossolanamente

1 cucchiaino di aceto di vino rosso

Tempo di preparazione: 10 min

Tempo di cottura: 10 min

Preparazione:

Scalda la griglia a media temperatura. Strofina il pollo con 1 cucchiaio di olio d'oliva e paprika. Cuoci per 5 minuti su ogni lato fino a quando non è cotto e leggermente carbonizzato. Taglia il pollo a fette spesse.

Mescola gli ingredienti insieme, insaporisci, aggiungi il resto del olio d'oliva e servi con il pollo.

Valori nutrizionali per porzione: 346kcal, 26g proteine, 14g carboidrati (6g fibre, 4g zuccheri), 22g grassi (3g saturi), 16% magnesio, 22% vitamina, 44% vitamina C, 18% vitamina E, 38% vitamina K, 12% vitamina B1, 11% vitamina B2, 66% vitamina B3, 19% vitamina B5, 43% vitamina B6, 22% vitamina B9.

SPUNTINI

1. Pomodorini con ricotta

Taglia 5 pomodorini a metà e spalma con 2 cucchiai formaggio di capra mescolato con aneto fresco e un pizzico di sale.

Valori nutrizionali: 58kcal, 4g proteine, 10g carbs, 30% vitamina A, 40% vitamina C, 20% vitamina K, 10% vitamina B1, 10% vitamina B6, 10% vitamina B9.

2. Toast con avocado

Tosta un piccolo pezzo di pane integrale poi copri con 50 g di purè di avocado e cospargi con Sale e pepe.

Valori nutrizionali: 208kcal, 5g proteine, 28g carboidrati (6g fibre, 2g zuccheri), 9g grassi (1g saturi), 13% vitamina K, 13% vitamina B9.

3. Peperoni con ricotta

Taglia un piccolo peperone a metà, togli i semi poi spalma 50 g di ricotta mescolata con il tuo condimento preferito.

Valori nutrizionali: 44kcal, 6g proteine, 3g carboidrati (3g zuccheri), 49% vitamina C.

4. Torta di riso con burro di arachidi

Spalma 1 torta di riso con 1 cucchiaio di burro di arachidi cremoso.

Valori nutrizionali: 129kcal, 5g proteine, 10g carboidrati (1g fibre, 1 g zuccheri), 8g grassi (1g saturi), 10% vitamina B3.

5. Sedano con formaggio di capra e olive verdi

Copri 3 gambi di sedano di media grandezza con 3 cucchiai formaggio di capra e 3 olive verdi a fette.

Valori nutrizionali: 102kcal, 4g proteine, 6g carboidrati (3g fibre), 6g grassi (4g saturi), 12% calcio, 45% vitamina K, 18% vitamina A, 12% vitamina B9.

6. Yogurt con Bacche di Goji secche

Mescola 150g di yogurt magro con 10g di bacche di goji.

Valori nutrizionali: 134kcal, 7g proteine, 19g carboidrati (1g fibre, 18% zuccheri), 4g grassi (1g saturi), 27% calcio, 24% ferro, 13% vitamina C, 19% vitamina B2, 13% vitamina B12.

7. Mela e burro di arachidi

Affetta una piccola mela e spalma 1 cucchiaino di crema di burro di arachidi su ogni fetta.

Valori nutrizionali: 189kcal, 4g proteine, 28g carboidrati (5g fibre, 20g zuccheri), 8g grassi (1g saturi), 14% vitamina C, 14% vitamina B3.

8. Yogurt Greco con fragole.

Mescola 150g Yogurt Greco con 5 fragole medie tagliate a metà.

Valori nutrizionali: 150kcal, 11g proteine, 10g carboidrati (10g zuccheri), 8g grassi (5g saturi), 10% calcio, 60% vitamina C.

9. Mix di frutta secca

Mescola insieme 10g di noci, 10g di mandorle e 30g di uvetta.

Valori nutrizionali: 217kcal, 4g proteine, 25g carboidrati (2g fibre, 17g zuccheri), 13g grassi (1g saturi), 10% magnesio.

10. Prosciutto e gambi di sedano

Avvolgi 6 gambi di sedano di media dimensione con 3 fette di prosciutto e servi con 1 cucchiaino di senape di grano intero.

Valori nutrizionali: 129kcal, 15g proteine, 6g carboidrati (6g fibre), 3g grassi, 12% calcio, 24% vitamina A, 12% vitamina C, 90% vitamina K, 18% vitamina B1, 12% vitamina B2, 24% vitamina B3, 15% vitamina B6, 24% vitamina B9.

11. Yogurt con frutti tropicali

Aggiungi a 150g di Yogurt Greco ½ tazza di kiwi tagliato e ¼ tazza di fette di mango.

Valori nutrizionali: 210kcal, 12g proteine, 25g carboidrati (2g fibre, 19g zuccheri), 8g grassi (5g saturi), 13% calcio, 11% vitamina A, 155% vitamina C, 46% vitamina K.

12. Yogurt ai mirtilli

Unisci 150g di yogurt magro a ½ tazza di mirtilli.

Valori nutrizionali: 136kcal, 8g proteine, 21g carboidrati (2g fibre, 18g zuccheri), 3g grassi (1g saturi), 27% calcio, 13% vitamina C, 18% vitamina K, 21% vitamina B2, 13% vitamina B12.

13. Tazza di popcorn

Valori nutrizionali: 31kcal, 1g proteine, 6g carboidrati (1g fibre).

14. Ceci arrostiti

Valori nutrizionali 50g: 96kcal, 4g proteine, 13g carboidrati (4g fibre, 2g zuccheri), 3g grassi.

CALENDARIO PER BRUCIARE I GRASSI

Settimana 1

Giorno 1:

Yogurt alla frutta e nocciole

Minestra all'uovo con pollo e tagliatelle

Riso pilaf ai funghi e limone

Giorno 2:

Colazione di uova e verdure al forno

Tacchino fritto

Melanzane stufate

Giorno 3:

Colazione Guacamole

Salmone al barbecue con strofinatura di limone

Insalata di Arance, Noci e Formaggio Blu

Giorno 4:

Frappè Fitness

Insalata di Mais e Pollo

Verdure rosse al curry

Giorno 5:

Frittelle di Banana e farina d'avena

Trota piccante

Zucchine stufate

Giorno 6:

Toast di tonno

Manzo all'aglio

Macedonia

Giorno 7:

Insalata con Omelette di pancetta e brie

Zuppa di riso e pomodoro

Insalata di Trota Affumicata con barbabietole, finocchio e mele

Settimana 2

Giorno 1:

Frappè ai frutti di bosco

Spaghetti al limone con broccoli e tonno

Funghi alla Diavola

Giorno 2:

Tacchino e cipollotti al cartoccio

Pollo ai funghi

Insalata con riso messicano e fagioli

Giorno 3:

Uova in camicia con salmone affumicato e spinaci

Fagioli al peperoncino

Brodo di verdure thai e latte di cocco

Giorno 4:

Crema di ceci con pane tipo Pita e verdure

Pesce grigliato con pomodoro e spezie marocchine

Zuppa di lenticchie, carote e arancia

Giorno 5:

Farina d'avena con mele e uvetta

Stufato di pesce piccante

Ceci e spinaci al curry

Giorno 6:

Omelette alla feta e pomodori secchi

Pollo farcito con spinaci e datteri

Carote arrosto con melograno e formaggio blu

Giorno 7:

Yogurt alla frutta e nocciole

Gamberi al curry

Insalata con riso messicano e fagioli

Settimana 3

Giorno 1:

Insalata con Omelette di pancetta e brie

Fagioli al peperoncino

Trota piccante

Giorno 2:

Frappè Fitness

Manzo all'aglio

Melanzane stufate

Giorno 3:

Colazione Guacamole

Tacchino fritto

Macedonia

Giorno 4:

Colazione di uova e verdure al forno

Salmone al barbecue con limone strofinato

Verdure rosse al curry

Giorno 5:

Frittelle di Banana e farina d'avena

Minestra all'uovo con pollo e tagliatelle

Insalata di Trota Affumicata con barbabietole, finocchio e mele

Giorno 6:

Toast di tonno

Zuppa di riso e pomodoro

Zucchine stufate

Giorno 7:

Frappè ai frutti di bosco

Insalata di Mais e Pollo

Ripieno di arance, noci e formaggio blu

Settimana 4

Giorno 1:

Farina d'avena con mele e uvetta

Spaghetti al limone con broccoli e tonno

Zuppa di lenticchie, carote e arancia

Giorno 2:

Uova in camicia con salmone affumicato e spinaci

Pollo ai funghi

Ceci e spinaci al curry

Giorno 3:

Tacchino e cipollotti al cartoccio

Stufato di pesce piccante

Carote arrosto con melograno e formaggio blu

Giorno 4:

Omelette alla feta e pomodori secchi

Fagioli al peperoncino

Macedonia

Giorno 5:

Crema di ceci con pane tipo Pita e verdure

Gamberi al curry

Insalata con riso messicano e fagioli

Giorno 6:

Yogurt alla frutta e nocciole

Pollo farcito con spinaci e datteri

Brodo di verdure thai e cocco

Giorno 7:

Colazione Guacamole

Trota piccante

Melanzane stufate

2 giorni extra per completare il mese:

Giorno 1:

Frappè Fitness

Insalata di Mais e Pollo

Insalata di arance, noci e formaggio blu

Giorno 2:

Toast di tonno

Tacchino fritto

Verdure rosse al curry

RICETTE PER BRUCIARE I GRASSI VELOCEMENTE

COLAZIONE

1.   Omelette alla feta e pomodori secchi

Un piatto molto veloce, semplice, a basso contenuto calorico che darà alla tua giornata il calcio di inizio che merita. Per un pizzico di sapore, utilizzare pomodori che sono stati conservati in una miscela di olio di oliva ed erbe italiane.

Ingredienti (1 porzione):

2 uova, leggermente sbattute

25g formaggio feta, sbriciolato

4 pomodori semi-secchi, tritati grossolanamente

1 cucchiaino di olio d'oliva

foglie di insalata mista, a Porzione

Tempo di preparazione: 5 min

Tempo di cottura: 5 min

Preparazione:

Scalda l'olio in una padellina antiaderente, aggiungici le uova e cuocile, mescolandole con un cucchiaio di legno. Quando le uova saranno abbastanza sode nel centro, aggiungi i pomodori e la feta, e chiudi l'omelette a metà. Cuoci per 1 minuto, dividi in due piatti e servi con una mistura di insalata.

Valori nutritivi per porzione: 300kcal, 18g proteine, 20g grassi (7 saturi), 5g carboidrati (1g fibre, 4g zucchero), 1.8g sale, 15% calcio, 22% vitamina D, 20% vitamina A, 15% vitamina C, 25% vitamina B12.

2.   Farina d'avena con mele e uvetta

Una caldo, saziante, colazione ricca di calcio che è facile da digerire e perfetta come un pasto pre-allenamento, grazie al suo alto contenuto di carboidrati. Cospargi con cannella per una dolce, fragranza legnosa.

Ingredienti (2 porzioni):

50g avena

250ml latte magro

2 mele, pelate a fette

50g uvetta

½ cucchiaio miele

Tempo di preparazione: 5min

Tempo di cottura: 10 min

Preparazione:

Porta il latte ad ebollizione in una casseruola a fuoco medio e mescola con l'avena per 3 minuti. Quando la miscela diventa cremosa, aggiungi le mele e l'uvetta e fai bollire per un altri 2min. Dividi il mix in 2 ciotole, aggiungi il miele e servi subito.

Valori nutritivi per porzione: 256kcal, 9g proteine, 2g grassi (1g saturi), 47g carboidrati (4g fibre, 34g zucchero), 17% calcio, 11% ferro, 17% magnesio.

3.   Crema di ceci con pane tipo Pita e verdure

Si tratta di una colazione semplice e nutriente che è possibile assemblare rapidamente la mattina e portarla a lavoro. La Crema di ceci rimane in frigo e le verdure possono essere farcite nel pane pita, creando un panino facile da afferrare.

Ingredienti (2 porzioni):

1 200 g di ceci in scatola, drenati

1 spicchio d'aglio, schiacciato

25g di tahini

¼ cucchiaino di cumino

succo di limone, spremuto da ¼ di limone

sale, pepe

Acqua 3 Cucchiai

2 pane integrale tipo pita

Mix di verdure 200g (carote, sedano, cetrioli)

Tempo di preparazione: 15 min

Non si cuoce

Preparazione:

Unisci ceci, aglio, tahini, cumino, succo di limone, sale e pepe e l'acqua in un robot da cucina e fai girare le lame più volte fino a quando la miscela diventa cremosa.

Servi con pane pita tostato e mix di verdure.

Valori nutritivi per porzione: 239kcal, 9g proteine, 9g grassi (1g saturi), 28g carboidrati (6g fibre, 4g zucchero), 1,1g sale, 27% ferro, 23% magnesio, 14% vitamina B1.

4.　Tacchino e cipollotti al cartoccio

Quale modo migliore per utilizzare gli avanzi di tacchino, che fare una rapida e deliziosa tortilla? Regalati un ossequio che è alto in proteine, basso contenuto di grassi saturi e aromatizzato con il gusto piccante del basilico.

Ingredienti (2 porzioni):

130g di tacchino cotto (bollito o arrosto), triturato

3 cipollotti, triturati

1 pezzo di cetriolo, tagliuzzato

2 foglie di lattuga riccia

1 Cucchiaio maionese light

1 cucchiaio di pesto

2 tortillas di farina di grano

Tempo di preparazione: 5mins

Non si cuoce

Preparazione:

Mescola il pesto e la maionese. Dividi il tacchino, cipollotti, cetrioli e lattuga mettendoli tra le 2 tortillas. Spruzza sopra il condimento di pesto, avvolgi il tutto e servi.

Valori nutritivi per porzione: 267kcal, 24g proteine, 9g grassi (2g saturi), 25g carboidrati (2g fibre, 3g zucchero), 1.6g sale, 34% vitamina B3, 27% vitamina B6.

5. Frappè ai frutti di bosco

Quale modo migliore per avere la metà del valore giornaliero consigliato di calcio che con una crema a base di yogurt? Aggiungici alcune fibre per renderlo ancora più nutrizionale, salvando la metà delle bacche dal frullatore e reinserendole quando il frullato è fatto.

Ingredienti (2 porzioni):

450g frutti di bosco surgelati

450g yogurt con pochi grassi

100ml latte con pochi grassi

25g porridge d'avena

1 cucchiaino miele (opzionale)

Tempo di preparazione: 10 min

Non si cuoce

Preparazione:

Mescola i frutti, lo yogurt ed il latte in un robot da cucina fino a far diventare il tutto molto liscio. Quindi aggiungi e mescola l'avena e versa in 2 bicchieri. Servi con un po' di miele.

Valori nutritivi per porzione: 234kcal, 16g proteine, 2g grassi (2g saturi), 36g carboidrati (14g zucchero), 45% calcio, 11% magnesio, 18% vitamina B2, 21% vitamina B12.

6.   Uova in camicia con salmone affumicato e spinaci

Una colazione che riempie, con tante proteine che darà alla tua giornata un inizio soddisfacente. Non avrai problemi a raggiungere il tuo fabbisogno giornaliero di vitamina A e il tuo cuore ti ringrazierà per la quantità abbondante di omega-3, acidi grassi.

Ingredienti (1 porzione):

2 uova

100g spinaci, a pezzi

50g salmone affumicato

1 cucchiaio aceto bianco

Un po' di burro per ungere

1 pezzo di pane di grano, tostato

Tempo di preparazione: 5 min

Tempo di cottura: 20 min

Preparazione:

Scalda una padella antiaderente, aggiungi gli spinaci e mescola per 2 minuti.

Per cucinare le uova, porta una pentola di acqua al punto di ebollizione, aggiungi l'aceto e poi abbassa la fiamma in modo che l'acqua sia bollente. Mescola l'acqua fino ad ottenere un leggero idromassaggio poi rompi le uova una per una. Cuoci ciascun uovo per circa 4 minuti, quindi toglili con un mestolo forato.

Cospargi di burro il pezzo di pane tostato poi metti gli spinaci sopra, il salmone affumicato e le uova. Condisci in base alle esigenze e servi.

Valori nutritivi per porzione: 349kcal, 31g proteine, 19g grassi (6g saturi), 13g carboidrati (4g fibre, 2g zucchero), 3.6g sale, 23% ferro, 23% magnesio, 197% vitamina A, 46% vitamina C, 21% vitamina D, 15% vitamina B6, 18% vitamina B12.

7.   Insalata con Omelette di pancetta e brie

Una frittata gustosa per chi preferisce iniziare il giorno con un ripieno sano di uova e proteine. Taglia la frittata a spicchi per un look moderno e gustala con un'insalata al posto del pane per tagliare le calorie.

Ingredienti (2 porzioni):

3 uova, leggermente sbattute

100g lardelli affumicati

50g brie, affettato

un mazzetto di erba cipollina tritata

1 cucchiaio di olio d'oliva

½ cucchiaino di aceto di vino rosso

½ cucchiaino di senape di Digione

½ cetriolo, dimezzato e senza semi

100g di Ravanelli, sbriciolati

Tempo di preparazione: 5 min

Tempo di cottura 15 min

Preparazione:

Scalda 1 cucchiaino in un pentolino, aggiungi i lardelli e friggi fino a cuocerli, poi toglili dalla padella e lasciali scolare su carta da cucina.

Scalda 1 cucchiaino di olio in una padella antiaderente, poi mescola insieme i lardelli, uova e una macinata di pepe. Versa nella padella e cuoci a fuoco basso fino a quando non è quasi pronto, quindi aggiungi il Brie e rosola fino a quando non viene sciolto e dorato.

Mescola il rimanente olio d'oliva, aceto, condimenti e senape in una ciotola e condisci i ravanelli ed i cetrioli. Servi a fianco della frittata.

Valori nutritivi per porzione: 395kcal, 25g proteine, 31g grassi (12g saturi), 3g carboidrati (2g fibre, 3g zucchero), 2.2g sale, 10% vitamina A, 13% vitamina C, 15% vitamina D, 13% vitamina B12.

8.   Frappè Fitness

Un frullato vegan senza latticini con succo di melograno che ti aiuterà sul posto di lavoro o per sostenere l'allenamento. È possibile aggiungere un cucchiaio di semi di lino per altri 2 g di fibra a basso costo calorico con di un 37kcal supplementari.

Ingredienti (1 porzione):

125ml latte di soia

150ml succo di melograno

30g tofu

1 grande banana, tagliata a pezzetti

1 cucchiaino miele

1 cucchiaio di mandorle

2 cubetti di ghiaccio

Tempo di preparazione: 5 min

Non si cuoce

Preparazione:

Frulla il latte di soia e succo di melograno con 2 cubetti di ghiaccio fino a quando il ghiaccio si è sgretolato.

Aggiungi la banana, miele e tofu e amalgama bene, quindi versa la miscela in un bicchiere e cospargi con le scaglie di mandorle.

Valori nutritivi per porzione: 366kcal, 10g proteine, 12g grassi (1g saturi), 55g carboidrati (4g fibre, 50g zucchero), 13% calcio, 11% ferro, 15% magnesio, 14% vitamina C, 25% vitamina B6.

9.   Toast di tonno

Una ricetta molto veloce, a basso contenuto calorico che fornisce una quantità elevata di neurone B12 protettivo. Se si desidera una sferzata di energia, spalma la pasta su un pezzo di pane integrale a circa 120kcal per pezzo e servi con il peperone a lato.

Ingredienti (4 porzioni):

2 scatolette di tonno in acqua (185g), drenato a metà

3 uova sode

1 cipollotto tritato

5 piccoli sottaceti, a dadini

sale, pepe

4 peperoni, dimezzati, senza semi

Tempo di preparazione: 5 min
Tempo di cottura: 10 min

Preparazione:

Unisci le uova, tonno, cipolla, sottaceti e condimenti in un robot da cucina e frulla molto bene fino ad ottenere una crema.

Riempi le metà dei peperoni con il composto e servi.

Valori nutritivi per porzione: 240kcal, 23g proteine, 8g grassi (2g saturi), 4g carboidrati (1g fibre, 2g zucchero), 14% magnesio, 47% vitamina A, 28% vitamina B6, 142% vitamina B12.

10. Frittelle di Banana e farina d'avena

Goditi questa versione sana di frittelle che sostituisce la farina fiore pianura con l'avena. La banana sostituisce lo zucchero raffinato, ma si può anche spargere 1 cucchiaino di miele (23kcal per cucchiaino) se ti piace di più.

Ingredienti (8 frittelle):

50g avena

4 uova, leggermente sbattute

2 banane, tagliate a tocchetti

½ cucchiaino di cannella

Olio di oliva 1 cucchiaino per ogni frittella

Tempo di preparazione: 5 min

Tempo di cottura: 30 min

Preparazione:

Unisci tutti gli ingredienti in un robot da cucina. Scalda una padella antiaderente, aggiungi un cucchiaino di olio e versa ¼ di tazza di miscela nella padella. Cuoci su ogni lato fino a quando il pancake diventa leggermente marrone.

Valori nutritivi per pancake: 135kcal, 4g proteine, 13g grassi (3g saturi), 10g carboidrati (1g fibre, 3g zucchero).

11.   Colazione Guacamole

Non ti puoi perdere un pasto che contiene avocado. Alto contenuto in grassi sani e fibre, con una consistenza morbida e un sapore riccamente impreziosito da un po' di succo di limone, la Colazione Guacamole ti sostiene fino a pranzo.

Ingredienti (2 porzioni):

1 avocado maturo

1 grosso pomodoro, tritato grossolanamente

1 cipollotto tritato

1 spicchio d'aglio schiacciato

succo di limone, da ½ limone

sale

pepe nero macinato

2 fette di pane integrale, tostato

Tempo di preparazione: 5 min

Non si cuoce

Preparazione:

Taglia l'avocado a metà, nel senso della lunghezza, poi scava la polpa con un cucchiaio e mettila in una ciotola capiente. Spezzettala con una forchetta. Versa il succo di limone sopra la polpa e aggiungi il pomodoro tritato, il cipollotto e l'aglio. Condisci con il sale e un sacco di pepe nero. Mescola un po', stendi su un pezzo di pane tostato e servi subito.

Valori nutritivi per porzione: 280kcal, 9g proteine, 13g grassi (2g saturi), 30g carboidrati (9g fibre, 5g zucchero), 10% ferro, 17% magnesio, 14% vitamina A, 29% vitamina C, 17% vitamina B6.

12.   Colazione di uova e verdure cotte

Una originale e facile colazione che cuoce un uovo invece di friggerlo, risparmiando una notevole quantità di grassi saturi. Le uova riempiono, mentre le verdure non sono solo gustose, ma anche sono zeppe di vitamina A e C.

Ingredienti (1 porzione):

2 grandi funghi prataioli

2 Pomodori medi, dimezzati

100g di spinaci

2 uova

1 spicchio d'aglio, tagliato a fette sottili

1 cucchiaino di olio d'oliva

Tempo di preparazione: 5 min

Tempo di cottura: 30 min

Preparazione:

Scalda il forno a 200 ° C ventilato / gas 6. Metti i pomodori e i funghi in una pirofila. Aggiungi l'aglio, l'olio e condisci, poi cuoci per 10 min.

Metti gli spinaci in una grande padella e versa dentro una pentola di acqua bollente per farli appassire. Strizza l'acqua in eccesso e quindi aggiungi gli spinaci al piatto. Fai un po' di spazio tra le verdure e spezza le uova nel piatto. Cuoci per altri 10 minuti in forno fino a quando le uova saranno cotte.

Valori nutritivi per porzione: 254kcal, 18g proteine, 16g grassi (4g saturi), 16g carboidrati (6g fibre, 10g zucchero), 31% ferro, 17% calcio, 29% magnesio, 238% vitamina A, 11% vitamina D, 102% vitamina C, 18% vitamina B1, 51% vitamina B2, 20% vitamina B3, 29% vitamina B6, 22% vitamina B12.

13. Yogurt alla frutta e nocciole

Una buona alternativa ai cereali, questa ricca colazione ti terrà pieno fino a pranzo e ti darà l'energia quando ne avrai bisogno per affrontare i tuoi compiti. Il mix di frutta secca offre una notevole quantità di grassi sani, mentre lo yogurt fa in modo di introdurre la metà del fabbisogno giornaliero di calcio.

Ingredienti (1 porzione):

Banane 1 di medie dimensioni, affettata

100g mirtilli (freschi o congelati e scongelati)

20g noci

20g nocciole

10g uvetta

200g yogurt magro

Tempo di preparazione: 5 min

Non si cuoce

Preparazione:

Mescola la frutta con le nocciole, versa in una ciotola con lo yogurt e servi.

Valori nutritivi per porzione: 450kcal, 13g proteine, 25g grassi (2g saturi), 54g carboidrati (9g fibre, 32g zucchero), 44% calcio, 16% magnesio, 30% vitamina C, 36% vitamina B6.

PRANZO

14. Minestra all'uovo con pollo e tagliatelle

Un piatto rapido e facile da fare, ideale per un pranzo. Le tagliatelle contengono abbastanza energia aumentando i carboidrati che sosterranno la tua giornata e la carne è piena di vitamina B.

Ingredienti (2 porzioni):

1 petti di pollo disossato, senza pelle, tagliato a dadini

1 uovo, sbattuto

0.6L Brodo di pollo

1 cipollotto tritato

70g tagliatelle di grano intero

70g mais dolce congelato, o baby mais, dimezzato nel senso della lunghezza

succo di limone

¼ cucchiaino di aceto di sherry

Tempo di preparazione: 10 min

Tempo di cottura: 15 min

Preparazione:

Metti il pollo e la minestra in una padella larga e porta lentamente a ebollizione per 5 min. Le tagliatelle vanno cucinate seguendo le istruzioni sulla confezione.

Aggiungi il mais e fai bollire per 2 min. Mescola il brodo e mentre è ancora da sfornare, posa una forchetta sopra la teglia e versaci le uova sopra lentamente. Mescola ancora nella stessa direzione e poi spegni la fiamma. Aggiungi il succo di limone e l'aceto.

Scola la pasta e dividila tra 2 ciotole. Versa il brodo, cospargi con la cipolla tritata e servi.

Valori nutritivi per porzione: 273kcal, 26g proteine, 6g grassi (1g saturi), 30g carboidrati (3g fibre, 2g zucchero), 1g sale, 96% vitamina B3, 42% vitamina B6.

15.   Insalata di Mais e Pollo

Un pollo alla paprica-speziato, servito alla griglia con mais dolce e fresco, lattuga croccante, per una veloce e sana insalata, con abbondante vitamina B. Il condimento a base di aglio migliorerà un pasto già gustoso.

Ingredienti (2 porzioni):

2 piccoli petti di pollo senza pelle

1 pannocchia di mais

2 piccoli cuoricini di lattuga, tagliati longitudinalmente in quarti

½ cetriolo a dadini

1 spicchi d'aglio schiacciati,

1 cucchiaio di olio d'oliva

1 cucchiaino di paprika

succo di limone, dal mezzo limone

condimento (2 Porzioni):

1 spicchio d'aglio, schiacciato

75ml latte cagliato

1 cucchiaio di aceto di vino bianco

Tempo di preparazione: 20 min

Tempo di cottura: 20 min

Preparazione:

Taglia i petti di pollo longitudinalmente a metà per fare 4 strisce di pollo. Mescola paprica, aglio, olio, 1 cucchiaino di succo di limone e con qualche condimento e marina il pollo per almeno 20 min.

Scalda una padella, aggiungi l'olio rimasto e cuoci il pollo per 3-4 minuti su ogni lato fino a quando non sarà cotto. Spennella sopra l'olio rimanente e griglia il grano per circa 5 minuti o fino a renderlo leggermente carbonizzato. Assicurati di cucinare in modo uniforme. Rimuovi le pannocchie di mais e tagliale in pezzetti.

Unisci gli ingredienti per il condimento.

Mescola il cetriolo e lattuga, mettili su pollo e mais sulla parte superiore e spruzza il condimento.

Valori nutritivi per porzione : 253kcal, 29g proteine, 8g grassi (1g saturi), 14g carboidrati (3g fibre, 6g zucchero), 20% ferro, 40% magnesio, 96% vitamina B3, 72% vitamina B6.

16.   Spaghetti al limone con broccoli e tonno

15 minuti è tutto ciò che serve per cucinare questa pasta di pesce piccante che racchiude un significativo pugno di energia. Il mix di spaghetti, tonno e verdura fanno di questo un piatto nutriente a tutto tondo.

Ingredienti (2 porzioni):

180g spaghetti integrali

100g tonno sott'olio sgocciolato

125g broccoli, tagliato a cimette

40g olive verdi snocciolate, tritate

1 cucchiaio di capperi, scolati

il succo e la scorza di mezzo limone

Olio d'oliva 1 cucchiaino, più extra per condire

Tempo di preparazione: 5 min

Tempo di cottura: 10 min

Preparazione:

Lessa gli spaghetti in base alle istruzioni sulla confezione. Dopo 6 min, aggiungi i broccoli e fai bollire per 4 minuti o più fino a quando entrambi saranno teneri.

Mescola le olive, scalogno, capperi, tonno, la scorza di limone e il succo in una grande ciotola. Scola la pasta con i broccoli, aggiungila alla ciotola, mescola bene con l'olio d'oliva e pepe nero e servi.

Valori nutritivi per porzione: 440kcal, 23g proteine, 11g grassi (2g saturi), 62g carboidrati (5g fibre, 4g zucchero), 1.4g sale, 12% ferro, 20% magnesio, 25% vitamina A, 50% vitamina B3, 25% vitamina B6, 90% vitamina B12.

17. Salmone al barbecue con limone strofinato

Ricco di grassi sani, Proteine e vitamine del gruppo B, il salmone è un pesce che merita sicuramente un posto nel tuo piatto. Servi con un semplice mix di pomodoro e insalata verde per assaporare il gusto di questo pasto.

Ingredienti (2 porzioni):

2 * 150g filetti di salmone senza spine

succo e scorza di mezzo limone

10g dragoncello fresco tritato

1 spicchio d'aglio tritato finemente

Olio 1 cucchiaio

Tempo di preparazione: 5 min

Tempo di cottura: 10 min

Preparazione:

Mescola la scorza di limone e il succo, aglio, dragoncello e olio d'oliva in un piatto, condisci con sale e pepe e poi aggiungi i filetti di salmone. Strofina la miscela sul pesce, copri e mettere da parte per 10 minuti.

Scalda il grill alto, togli i filetti di salmone dalla marinata, mettili su una teglia da forno e cuoci per 7-10 min. Servi quando il salmone è appena cotto.

Valori nutritivi per porzione: 322kcal, 31g proteine, 22g grassi (4g saturi), 1g carboidrati, 12% vitamina B2, 30% vitamina B1, 60% vitamina B3, 45% vitamina B6, 79% vitamina B12.

18.   Zuppa di riso e pomodoro

Per un pasto principale ricco, la Zuppa di riso e pomodoro è un ottimo modo per sfruttare i pomodori freschi e salati disponibili in estate. Si può anche servire fredda, per un effetto rinfrescante.

Ingredienti (2 porzioni):

70g di riso integrale

200g Pomodori, tritati

1 cucchiaino di passata di pomodoro

1 cipollotto tritato

1 carota piccola, tritata finemente

½ gambo di sedano tritato finemente

½ l di brodo vegetale fatto con 1 dado

1 cucchiaino zucchero di canna

Aceto 1 cucchiaino

qualche foglia di prezzemolo, tritato

alcune gocce di pesto, per servire (Opzionale)

Tempo di preparazione: 10 min

Tempo di cottura: 35 min

Preparazione:

Scalda l'olio in una grande padella, aggiungi la carota, il sedano e la cipolla e fai cuocere a fuoco medio fino a quando il tutto sarà ammorbidito. Aggiungi l'aceto e zucchero, cuoci per 1 minuto e poi mescola con la passata di pomodoro. Aggiungi i pomodori, il brodo vegetale e lo zucchero di canna, copri e cuoci per 10 min.

Dividi in 2 ciotole, e cospargi di prezzemolo. Aggiungi pesto se ti piace.

Valori nutritivi per porzione: 213kcal, 6g proteine, 3g grassi (1g saturi), 39g carboidrati (4g fibre, 13g zucchero), 1.6g sale, 16% vitamina A, 22% vitamina C.

19. Pollo farcito con spinaci e datteri

Alto contenuto di proteine, con una quantità equilibrata di carboidrati e un sacco di vitamine, questo pasto sano copre praticamente tutto, dalle sostanze nutrienti a piacere. I datteri e spinaci nel ripieno aggiungono una dolcezza al tutto.

Ingredienti (2 porzioni):

2 petti di pollo disossati e senza pelle

100g di spinaci, tritati

1 piccola cipolla, tritata finemente

1 spicchio d'aglio tritato finemente

4 datteri, finemente tritati

1 cucchiaio Succo di melograno o miele

1 cucchiaino di cumino

1 cucchiaio di olio d'oliva

100g fagiolini surgelati

Tempo di preparazione: 10 min

Tempo di cottura: 15 min.

Preparazione:

Scalda il forno a 200 ° C ventilato / gas 6. Scalda l'olio in una padella antiaderente, aggiungi la cipolla, l'aglio e un pizzico di sale e cuoci per 5 minuti prima di aggiungere i datteri, gli spinaci e ½ del cumino. Cuoci per altri 1-2 minuti.

Taglia i petti di pollo a metà, longitudinalmente, e lascia una parte intatta in modo da poter aprirli come un libro. Apri i petti di pollo e mettili in una teglia da forno, aggiungi il resto del cumino e il condimento, cospargi con il succo di melograno o miele e cuoci per 20 min. Servi con i piselli surgelati, leggermente cotti al vapore.

Valori nutritivi per porzione: 257kcal, 36g proteine, 4g grassi (1g saturi), 21g carboidrati (3g fibre), 17% ferro, 23% magnesio, 97% vitamina A, 36% vitamina C, 96% vitamina B3, 49% vitamina B6.

20.   Fagioli al peperoncino

Un pasto salutare vegetariano per il pranzo con tanto sapore, questo piatto è ottimo per contribuire della metà o un terzo della quantità richiesta di fibre giornaliere. Puoi servirlo con una piccolo porzione di riso integrale aggiungendo circa 170kcal al piatto.

Ingredienti (2 porzioni):

170g Peperone, privato dei semi e affettato

200g fagioli in salsa di peperoncino

200g può fagioli neri, scolati

200g Pomodori, tritati

1 piccola cipolla, tritata

1 cucchiaino di cumino

1 cucchiaino di peperoncino in polvere

1 cucchiaino di paprika dolce affumicata

1 cucchiaino di olio d'oliva

Tempo di preparazione: 15 min

Tempo di cottura: 30 min

Preparazione:

Scalda l'olio in una grande padella, aggiungi la cipolla e pepe e cuoci per 8-10 minuti fino a quando il tutto sarà ammorbidito. Aggiungi le spezie e cuoci per 1 min.

Aggiungi i fagioli e pomodori, porta a ebollizione e fai sobbollire per 15 minuti. Quando il peperoncino si sarà addensato, togli e servi.

Valori nutritivi per porzione: 183kcal, 11g proteine, 5g grassi (1g saturi), 26g carboidrati (12g fibre, 12g zucchero), 16% ferro, 14% magnesio, 16% vitamina A, 22% vitamina C, 14% vitamina B1.

21. Manzo all'aglio

Goditi una bistecca di manzo fatta in fretta che non è solo ricca di proteine e povera di grassi e carboidrati, ma anche carica di vitamina B. Unisci alcuni pomodori ciliegia per saziarti e avere un pasto rinfrescante.

Ingredienti (2 porzioni):

300g coscia manzo ben curata

3 spicchi d'aglio

2 Cucchiai aceto di vino rosso

1 cucchiaino di pepe nero

200g pomodorini, dimezzati con una spruzzata di aceto

Tempo di preparazione: 10 min

Tempo di cottura: 15min

Preparazione:

Schiaccia i grani di pepe e l'aglio con un pizzico di sale in un mortaio fino ad ottenere una pasta liscia, quindi aggiungi l'aceto. Stendi la carne in un piatto, poi strofina la pasta dappertutto. Lascia in frigorifero per 2 ore.

Metti una padella su piastra a fuoco molto caldo. Strofina la marinata sulla della carne, aggiungi più sale. Cuoci la carne per circa 5 minuti su ogni lato (assicurarsi che il taglio non sia troppo spesso). Solleva la carne e ponila sopra un tagliere, poi falla riposare per 5 minuti prima di tagliarla a fette. Servi con pomodorini.

Valori nutritivi per porzione: 223kcal, 34g proteine, 6g grassi, 7g carboidrati (1g fibre, 3g zucchero), 22% ferro, 16% vitamina A, 22% vitamina C, 27% vitamina B2, 42% vitamina B3, 30% vitamina B6, 64% vitamina B12.

22.   Pesce grigliato con pomodoro e spezie marocchine

Un pasto a base di orate per una fonte eccellente di proteine. La salsa sudafricana con le sue spezie aromatiche aumenta il gusto e va anche bene con le sarde e il branzino.

Ingredienti (2 porzioni):

2 * 140 g filetti di orata senza pelle

3 grossi pomodori

1 ½ grandi peperoni rossi, senza semi e dimezzati

2 spicchi d'aglio schiacciati

20ml Olio d'oliva

1 cucchiaino di cumino

1 cucchiaino di paprika

1/8 cucchiaino di pepe nero

un pizzico di pepe di Caienna

mazzetto di prezzemolo, tritato grossolanamente

mazzetto di coriandolo, tritato grossolanamente

Tempo di preparazione: 30 min

Tempo di cottura: 15 min

Preparazione:

Scalda il grill in alto, posiziona i peperoni dal lato della pelle su una teglia da forno e metti sotto il grill fino a renderlo nero e pieno di vesciche. Metti in una ciotola coperta ermeticamente e lascia raffreddare. Quando saranno freddi, rimuovi le pelli bruciate poi tagliali a pezzetti.

Togli la pelle ai pomodori, poi tagliati in quarti, elimina i semi e crea dei dadini.

Scalda l'olio in una grande padella, aggiungi l'aglio, il pepe macinato e le spezie e cuoci per 2 minuti. Aggiungi i peperoni e pomodori e cuoci a fuoco medio fino a quando i pomodori saranno molto morbidi. Rompi i pomodori morbidi e continua la cottura finché il liquido si sarà ridotto a salsa.

Scalda il grill, adagia il pesce in una teglia foderata con un foglio leggermente oliato. Condisci e cuoci per 4-5 minuti fino a cottura totale. Dividi la salsa sui piatti con sopra il pesce e servi con le erbe tritate.

Valori nutritivi per porzione: 308kcal, 25g proteine, 18g grassi (2g saturi), 16g carboidrati (4g fibre, 12 g zucchero), 23% magnesio, 45% vitamina A, 55% vitamina C, 12% vitamina B1, 12% vitamina B2, 14% vitamina B3, 34% vitamina B6.

23.   Gamberi al curry

Hai solo bisogno di 20 minuti per preparare questo delizioso piatto a base di pesce aromatizzato. La cremosa salsa di ciliegie aromatica va molto bene con una Porzione di riso bollito con circa 175kcal per Porzione.

Ingredienti (2 porzioni):

200g prime gamberetti congelati

200g pomodori tritati

25g di crema di cocco in bustina

1 piccola cipolla, tritata

1 cucchiaino Thai rosso pasta di curry

½ cucchiaino di radice di zenzero fresco

1 cucchiaino di olio d'oliva

coriandolo tritato

Tempo di preparazione: 5 min

Tempo di cottura: 15 min

Preparazione:

Scalda l'olio in una casseruola. Aggiungi la cipolla e lo zenzero e cuoci per qualche minuto fino ad ammorbidirli. Aggiungi la pasta di curry, mescola e cuoci per 1 minuto. Versa sopra i pomodori e la crema di cocco, porta ad ebollizione e lascia cuocere a fuoco lento per 5 minuti, aggiungendo un po' di acqua bollente se la miscela diventa troppo spessa.

Aggiungi i gamberi e fai cuocere per altri 5-10 minuti. Cospargi con il coriandolo tritato e servi.

Valori nutritivi per porzione: 180kcal, 20g proteine, 9g grassi (4g saturi), 6g carboidrati (1g fibre, 5g zucchero), 1g sale, 18% ferro, 10% magnesio, 20% vitamina A, 26% vitamina C, 13% vitamina B3, 25% vitamina B12.

24. Pollo ai funghi

Un piatto sano, questo casseruola di pollo ha un'elevata quantità di proteine che ti terrà pieno fino a cena. Le cosce di pollo aggiungono sapore in più e succosità, mentre i funghi sono responsabili della sensazione pungente di questo pranzo a basso contenuto di calorie.

Ingredienti (2 porzioni):

250g disossate, cosce di pollo senza pelle

125ml brodo di Pollo

25g di piselli surgelati

150g di funghi

25g cubetti di pancetta

1 grande scalogno, tritato

1 cucchiaio di olio d'oliva

1 cucchiaino di aceto di vino bianco

farina, per spolverare

una piccola manciata di prezzemolo tritato

Tempo di preparazione: 15 min

Tempo di cottura: 25 min

Preparazione:

Scalda 1 cucchiaino di olio in una padella antiaderente, condisci e spolvera il pollo con la farina. Rosola su tutti i lati, quindi rimuovi il pollo e friggi la pancetta ed i funghi fino a farli ammorbidire.

Metti il resto dell'olio di oliva e cuocere gli scalogni per 5 min. Aggiungi il brodo, l'aceto e fai bollire per 1-2 min. Rimetti il pollo, la pancetta e i funghi nella padella e cuoci per 15 min. Aggiungi i piselli ed il prezzemolo, cuoci per altri 2 minuti, poi servi.

Valori nutritivi per porzione: 260kcal, 32g proteine, 13g grassi (3g saturi), 4g carboidrati (3g fibre, 1 g zucchero), 1g sale, 21% ferro, 39% vitamina D, 12% vitamina B2, 34% vitamina B3, 17% vitamina B6.

25. Tacchino fritto

Con tante proteine, da preparare in fretta e saporito, questo piatto è un perfetto pranzo speziato. Il suo contenuto di carboidrati ti caricherà di energia in modo che possa essere anche un pasto ideale per il pre-allenamento.

Ingredienti (2 porzioni):

200g bistecche di petto di tacchino, tagliate a striscioline (rimuovere il grasso)

150g spaghetti di riso

170g Fagiolini, dimezzato

1 spicchio d'aglio, affettato

1 piccola cipolla rossa, a fette

½ peperoncino rosso tritato

succo di ½ lime

½ cucchiaino di olio d'oliva

½ cucchiaino di peperoncino in polvere

1 cucchiaino di salsa di pesce

menta, tritata grossolanamente

Coriandolo, tritato grossolanamente

Tempo di preparazione: 10 min

Tempo di cottura: 15 min

Preparazione:

Cuoci la pasta seguendo le istruzioni sulla confezione. Scalda l'olio in una padella antiaderente e friggi il tacchino a fuoco vivo per 2 minuti. Aggiungi la cipolla, l'aglio e fagioli e fai cuocere per altri 5 minuti.

Aggiungi al di sopra il succo di lime, peperoncino fresco, peperoncino in polvere e salsa di pesce, mescola e cuoci per 3 minuti. Incorpora le tagliatelle e le erbe a piacere e servi.

Valori nutritivi per porzione: 425kcal, 32g proteine, 3g grassi (1g saturi), 71g carboidrati (4g fibre, 4g zucchero), 1 g sale, 12% ferro, 10% magnesio, 12% vitamina A, 36% vitamina C, 13% vitamina B1, 24% vitamina B2.

26. Trota piccante

Prova questo facile pasto leggero estivo con la trota. Una grande fonte di vitamina B12, questo pesce bianco può essere servito con un contorno di insalata verde cosparso di sale marino e un po' di succo di limone per una sensazione più aspra.

Ingredienti (2 porzioni):

2 filetti di trota

15g Pinoli, tostati e tritati grossolanamente

25g pangrattato

1 cucchiaino di burro morbido

1 cucchiaino di olio d'oliva

il succo e la scorza di mezzo limone

1 mazzetto di prezzemolo, tritato

Tempo di preparazione: 10 min

Tempo di cottura: 5 min

Preparazione:

Scalda il grill a temperatura elevata. Posa i filetti, dalla parte della pelle, su una teglia unta d'olio.

Mescola il pangrattato, succo di limone e la scorza, burro, prezzemolo e la metà dei pinoli. Spargi la composizione con un sottile strato sopra i filetti, condisci con l'olio e metti sotto il grill per 5 minuti. Cospargi il resto dei pinoli e servi con il cavolfiore al vapore o fagiolini.

Valori nutritivi per porzione: 298kcal, 30g proteine, 16g grassi (4g saturi), 10g carboidrati (1g fibre, 1g zucchero), 11% magnesio, 14% vitamina B1, 41% vitamina B3, 25% vitamina B6, 150% vitamina B12.

27.   Stufato di pesce piccante

Delizia il palato con questo mix piccante di gamberi, vongole e pesce bianco che fornisce una quantità abbondante di proteine e copre la maggior parte delle vitamine del gruppo B. Assicurati di utilizzare pesce fresco per massimizzare il gusto saporito di questa casseruola.

Ingredienti (2 porzioni):

100g gamberoni crudi sgusciati

150g vongole

150g Filetti di pesce bianco (tagliati in pezzi da 3cm)

250g piccole patate novelle, dimezzate e bollite

130g pomodori tritati

350ml brodo di Pollo

1 piccola cipolla, tritata

2 spicchi d'aglio, tritati

1 peperoncino rosso secco

succo di 1 lime

½ cucchiaino di paprica affumicata piccante

½ cucchiaino di cumino macinato

1 cucchiaino di olio d'oliva

spicchi di lime per Porzione (Opzionale)

Tempo di preparazione: 15 min

Tempo di cottura: 30 min

Preparazione:

Tostare il peperoncino in una calda padella asciutta fino a che si gonfiano un po', quindi rimuovili, togli i semi e mettili a bagno in acqua bollente per 15 minuti.

Scalda l'olio in una grande padella, aggiungi la cipolla, l'aglio e il condimento e cuoci fino ad ammorbidirli. Aggiungi la paprika, peperoncino, cumino, pomodori e il brodo e fai rosolare per 5 minuti, poi mescola tutto in un frullatore fino a che diventa tutto liscio. Versa nella pentola e porta al punto di ebollizione. Lascia cuocere a fuoco lento per 10 minuti.

Aggiungi i gamberi, filetti di pesce, vongole e patate, metti un coperchio sulla parte superiore della padella e cuoci per 5 minuti a fuoco medio-alto. Servi con spicchi di lime, se ti piacciono.

Valori nutritivi per porzione: 347kcal, 44g proteine, 6g grassi (1 g saturi), 28g carboidrati (4g fibre, 7g zucchero),

1.1g sale, 18% magnesio, 12% vitamina A, 40% vitamina C, 16% vitamina B1, 10% vitamina B2, 23% vitamina B3, 26% vitamina B6, 62% vitamina B12.

CENA

28. Melanzane stufate

Un pasto vegetariano saporito, con un formaggio fresco e pane grattugiato sopra al tutto, che è leggero e perfetto per la cena. Dimentica i peperoni ripieni e prova queste melanzane aromatizzato.

Ingredienti (2 porzione):

1 melanzana

60g mozzarella vegetariana, fatta a pezzi

1 piccola cipolla, tritata finemente

2 spicchi d'aglio, tritati finemente

Olio di oliva 1 cucchiaio, più extra per spruzzare

6 pomodorini, tagliati a metà

una manciata di foglie di basilico tritato

alcune manciate di pane grattugiato

Tempo di preparazione: 15 min

Tempo di cottura: 40 min

Preparazione:

Scalda il forno a 200 ° C ventilato / gas 7. Taglia le melanzane longitudinalmente a metà (è possibile lasciare lo stelo intatto o rimuoverlo). Taglia un bordo all'interno della melanzana di spessore di circa 1 cm. Utilizzando un cucchiaino, scava la polpa di melanzane fino a quando saranno rimasti 2 gusci. Trita la carne poi mettila da parte. Spennella i gusci con un po' di olio, condisci e mettili in una pirofila. Copri con un foglio e cuoci per 20 min.

Aggiungi l'olio rimanente in una padella antiaderente. Aggiungi la cipolla e fai cuocere fino a quando diventa morbida, quindi inseriscila nella carne tritata e fai cuocere. Aggiungere l'aglio e pomodori e cuoci per altri 3 minuti.

Quando i gusci di melanzana sono teneri, toglili dal forno, condisci, cospargi alcune briciole di pane e versa l'olio. Riduci il calore nel forno a 180C ventilato / gas 6. Cuoci per 15-20 minuti, fino a quando il formaggio sarà e il pangrattato sarà dorato. Servi con una insalata verde.

Valori nutritivi per porzione: 266kcal, 9g proteine, 20g grassi (6g saturi), 14g carboidrati (5g fibre, 7g zucchero), 1g sale, 15% vitamina A, 19% calcio.

29. Insalata di Arance, Noci e Formaggio Blu

Prova questa insalata salata e dolce con noci sbriciolate e formaggio blu per una cena leggera. Questo piatto, ad alto contenuto di grassi sani e vitamina C, richiede solo 10 minuti di preparazione ed è un ottimo modo per terminare un giorno impegnativo.

Ingredienti (2 porzioni):

1 * 100g Sacchetto di insalata mista (spinaci, rucola e crescione)

1 grande arancia

40g Noci, tritate grossolanamente

70g di formaggio blu, sbriciolato

1 cucchiaino di olio di noce

Tempo di preparazione: 10 min

Non si cuoce

Preparazione:

Svuota il sacco di insalata in una ciotola. Sbuccia le arance e taglia i segmenti del midollo su una piccola ciotola per prenderne il succo. Versa l'olio di noce nel succo d'arancia poi versaci sopra le foglie di insalata. Spargi l'insalata, gorgonzola e noci sugli spicchi d'arancia e servi.

Valori nutritivi per porzione: 356kcal, 14g proteine, 30g grassi (10g saturi), 8g carboidrati (3g fibre, 8g zucchero), 19% calcio, 10% magnesio, 20% vitamina A, 103% vitamina C, 10% vitamina B1.

30.   Insalata con riso messicano e fagioli

Un pasto piccante con pochi grassi ed un sapore latino-americano, l'Insalata con riso messicano e fagioli è imballata con le verdure e fa riempire anche a cena. Divertiti un po' e utilizza una scatola di fagioli misti per un piatto più colorato.

Ingredienti (2 porzioni):

90g di riso integrale

200g scatoletta di insalata di fagioli neri, scolati

½ avocado maturo, tritato

2 cipollotti, tritate

½ peperone rosso, privato dei semi e tritato

Succo di ½ lime

1 cucchiaino di spezie Cajun mix

mazzetto di coriandolo tritato

Tempo di preparazione: 15 min

Tempo di cottura: 20 min

Preparazione:

Cuoci il riso seguendo le istruzioni sulla confezione. Scolalo poi raffreddalo sotto l'acqua corrente fredda. Aggiungi fagioli, peperoni, cipolle e avocado.

Mescola il succo di lime con pepe nero e le spezie Cajun poi versa sopra il riso. Aggiungi il coriandolo e servi.

Valori nutritivi per porzione: 326kcal, 11g proteine, 10g grassi (2g saturi), 44g carboidrati (6g fibre, 4g zucchero), 10% ferro, 15% magnesio, 11% vitamina B1, 13% vitamina B6.

31. Ceci e spinaci al curry

Prepara questo pasto per una grande notte. Con tanta vitamina A e proteine, questo piatto vegetariano può essere servito con un po' di Naan. Attenzione per le calorie in eccesso, però, un pezzo di pane Naan contiene circa 140kcal.

Ingredienti (2 porzioni):

1 * 400g scatoletta di ceci, scolati

200g pomodorini

130g foglie di spinaci

1 cucchiaio di pasta di curry

1 piccola cipolla, tritata

succo di limone

Tempo di preparazione: 5 min

Tempo di cottura: 15 min

Preparazione:

Riscalda la pasta di curry in una padella antiaderente. Quando comincia a dividersi, aggiungi la cipolla e cuoci per 2 minuti fino a quando non si ammorbidisce. Aggiungi i pomodori e fai bollire finché la salsa si sarà ridotta.

Aggiungi i ceci e qualche condimento e cuoci per un minuto in più. Togli dal fuoco, poi aggiungi gli spinaci (il calore della padella appassirà le foglie). Condisci, aggiungi il succo di limone e servi.

Valori nutritivi per porzione: 203kcal, 9g proteine, 4g fat, 28g carboidrati (6g fibre, 5g zucchero), 1.5g sale, 25% ferro, 29% magnesio, 129% vitamina A, 61% vitamina C, 58% vitamina B6.

32. Brodo di verdure thai e latte di cocco

Una Porzione di pasta all'uovo condita con un delizioso brodo vegetale dà un gusto delizioso e veloce di Thai. Se si preferisce un brodo più corposo, usa meno brodo vegetale, a seconda dei gusti.

Ingredienti (2 porzioni):

200ml scatoletta di latte di cocco magro

500ml brodo di verdure

Pasta all'uovo 90g

1 carota tagliata a fiammiferi

¼ testa di insalata cinese, affettata

75g germogli di fagiolini

3 pomodorini, tagliati a metà

2 piccoli cipollotti, longitudinalmente dimezzati e affettati

succo di lime da ½ frutto

1 ½ cucchiaini Thai rosso pasta di curry

1 cucchiaino zucchero di canna

1 cucchiaino di olio d'oliva

manciata di coriandolo, tritato grossolanamente

Tempo di preparazione: 15 min

Tempo di cottura 10 min

Preparazione:

Scalda l'olio in un wok poi aggiungi la pasta di curry e friggi per 1 min fino a renderla fragrante. Aggiungi il brodo vegetale, zucchero di canna e latte di cocco e fai sobbollire per 3 minuti.

Aggiungi le tagliatelle, carote e foglie cinesi e cuoci a fuoco lento finché saranno teneri. Aggiungi i germogli di soia e pomodori, succo di lime per un po' di gusto in più. Servi nelle ciotole e cospargi con coriandolo e cipollotti.

Valori nutritivi: 338kcal, 10g proteine, 14g grassi (7g saturi), 46g carboidrati (5g fibre, 12g zucchero), 1.2g sale, 14% ferro, 16% magnesio, 10% vitamina B3.

33. Zucchine stufate

Una cena sana e vegetariana, leggera sullo stomaco e un piacere da gustare. Le zucchine sono aromatizzate da un mix di pinoli, pomodori secchi e parmigiano. È possibile cospargere le zucchine con un po' di pesto al posto dell'olio d'oliva, prima di metterle in forno.

Ingredienti (2 porzioni):

2 zucchine, longitudinali dimezzato

2 cucchiaini di olio d'oliva

insalata mista, a servire

Ripieno:

25g Pinoli

3 cipollotti finemente affettato

1 spicchio d'aglio, schiacciato

3 pomodori secchi sott'olio sgocciolato

12g parmigiano, finemente grattugiato

25g pangrattato

1 cucchiaino di timo in foglia

Tempo di preparazione: 10 min

Tempo di cottura: 35 min

Preparazione:

Scalda il forno a 200 ° C ventilato / gas 7. Metti le zucchine in una pirofila, e tagliale. Spennella leggermente con 1 cucchiaino di olio e cuoci per 20 min.

Mescola tutti gli ingredienti insieme e riempi una ciotola e condisci con pepe nero, cospargi la miscela in cima alle zucchine e condisci con l'olio rimasto. Cuoci in forno per altri 10-15 minuti, fino a quando le zucchine saranno ammorbidite e il condimento croccante. Servi caldo con una insalata mista.

Valori nutritivi per porzione: 244kcal, 10g proteine, 17g grassi (3 saturi), 14g carboidrati (3g fibre, 5g zucchero), 56% vitamina C, 16% vitamina B2, 21% vitamina B6.

34. Macedonia

Una macedonia carica di vitamina C addolcita con miele e pronta da servire in 10 min. Migliora questa semplice macedonia con l'aggiunta di una spruzzata di menta fresca tagliata.

Ingredienti (1 porzione):

1 pompelmo, scorza e semi asportati

2 albicocche, a fette

2 arance, la buccia e semi asportati

1 cucchiaino miele chiaro

Tempo di preparazione 5 min

Non si cuoce

Preparazione:

Metti le albicocche in una grande ciotola. Taglia le arance ed i pompelmi nella ciotola per catturarne i succhi. Mescola nel miele e servi.

Valori nutritivi per porzione: 166kcal, 4g proteine, 36g carboidrati (8g fibre, 28g zucchero), 46% vitamina A, 184% vitamina C, 13% vitamina B1.

35. Funghi alla Diavola

Concediti un piccante pasto sano, con a lato un po' insalata croccante fresca. Raddoppia la Porzione di fibre e proteine o servilo con una fetta media di baguette per circa 150kcal a pezzo.

Ingredienti (2 porzioni):

8 grandi funghi piani

2 spicchi d'aglio schiacciati

2 cucchiaio di olio d'oliva

2 Cucchiai salsa Worcester

2 Cucchiai senape integrale

1 cucchiaino di paprika

140g foglie di insalata mista in busta, con crescione e rubino bietole

Tempo di preparazione: 10 min

Tempo di cottura: 15 min

Preparazione:

Scalda il forno a 180 ° C ventilato / gas 6. Mescola la senape, l'olio, l'aglio e salsa Worcester in una grande ciotola, poi condisci con pepe nero appena macinato e sale. Aggiungi i funghi al mix e mescola bene per ricoprire uniformemente. Metti i gambi verso l'alto in una pirofila, cospargi con la paprika e cuoci per 8-10 minuti.

Dividi le foglie di insalata tra due piastre e posiziona 4 funghi su ogni piatto. Spargi i succhi sopra i funghi e servi subito.

Valori nutritivi per porzione: 102kcal, 8g proteine, 14g grassi (2g saturi), 8g carboidrati (4g fibre), 1g sale, 20% vitamina B2, 16% vitamina B3.

36. Insalata di Trota Affumicata con barbabietole, finocchio e mele

Un delicato pesce affumicato a caldo completato da una mela croccante e la barbabietola colorata, diventa un'insalata esotica con una combinazione di sapore meraviglioso. La trota è una fonte ideale di B12 e di proteine di alta qualità.

Ingredienti (2 porzioni):

140g Filetto di trota senza pelle affumicato

100g barbabietola in aceto, drenata e tagliata

4 cipollotti, affettati

1 mela dalla pelle verde, spellata e affettata

½ piccola testa di finocchio, tagliato a fette sottili

foglie di aneto, piccolo mazzo, finemente tritato

2 Cucchiai yogurt con pochi grassi

1 cucchiaino salsa al rafano

Tempo di preparazione: 10 min

Non si cuoce

Preparazione:

Posiziona il finocchio in un piatto e spargici sopra le barbabietole, cipolline e mela. Taglia la trota in pezzi grossi e mettila sopra a tutto. Cospargi con metà dell'aneto.

Mescola lo yogurt ed il rafano con 1 cucchiaio di acqua fredda, quindi aggiungi il resto dell'aneto e mescola. Versa metà del condimento sopra l'insalata e gira leggermente, poi un cucchiaio sul resto della porzione e servi.

Valori nutritivi per porzione: 183kcal, 19g proteine, 5g grassi (1g saturi), 16g carboidrati (5g fibre, 16g zucchero), 1.6g sale, 12% ferro, 11% vitamina A, 20% vitamina C, 20% vitamina B1, 17% vitamina B2, 20% vitamina B3, 100% vitamina B12.

37. Carote arrosto con melograno e formaggio di capra

Un pasto tutto-tondo completo quando si tratta di sostanze nutritive, questa combinazione di verdure dolci e succhi di frutta acidi è un'opzione sana e interessante. Assicurati di mantenere i semi di melograno separati e aggiungili poco prima di mangiare se hai intenzione di fare una grande partita.

Ingredienti (2 porzioni):

375g carote

40g semi di melograno

50g di formaggio di capra, sbriciolato

200g ceci in scatola, scolati

scorza grattugiata e il succo di ½ arancia

1 cucchiaio di olio d'oliva

1 cucchiaino di semi di cumino

piccolo mazzetto di menta tritata

Tempo di preparazione: 10 min

Tempo di cottura: 50 min

Preparazione:

Scalda il forno a 170 ° C ventilato / gas 5. Metti le carote in una ciotola e condiscile con metà dell'olio d'oliva, i semi di cumino e la scorza d'arancia e il sale. Stendi le carote su un grande piatto di cottura per 50 minuti fino a quando non diventano tenere e prendono un po' di colore sui bordi.

Mescola i ceci con le carote arrosto, poi impiatta. Irroralo con l'olio rimanente e il succo d'arancia. Aggiungi il formaggio di capra sbriciolato, spargi i semi di melograno e le erbe e servi.

Valori nutritivi per porzione: 285kcal, 12 g proteine, 15g grassi (6g saturi), 30g carboidrati (6g fibre, 16g zucchero), 15% calcio, 12% ferro, 14% magnesio, 610% vitamina A, 28% vitamina C, 12% vitamina B1, 18% vitamina B2, 11% vitamina B3, 37% vitamina B6.

38. Zuppa di lenticchie, carote e arancia

Una zuppa interessante a base di succo d'arancia che servirà a coprire la quantità necessaria giornaliera di vitamina C. Sano, con sapori che funzionano bene insieme, questa ricetta è una delizia piccante. Puoi allungarla con un po' d'acqua, se la trovi troppo densa.

Ingredienti (2 porzioni):

75g Lenticchie rosse

225g carote, dadini

300ml Succo d'arancia

1 cipolla, tritata

600ml brodo di verdure

2 Cucchiai yogurt magro

1 cucchiaino di semi di cumino

2 cucchiaini di semi di coriandolo

coriandolo fresco tritato per guarnire

Tempo di preparazione: 15min

Tempo di cottura: 35 min

Preparazione:

Rompi i semi in un mortaio, poi asciugali in padella per 2 minuti fino a doratura completa. Aggiungi lenticchie, carote, cipolla, succo d'arancia, brodo e condimenti e porta a ebollizione. Copri e cuocere a fuoco lento per 30 minuti fino a quando le lenticchie saranno ammorbidite.

Trasferisci il mix in un robot da cucina e amalgama bene. Rimetti tutto in padella, scalda a fuoco medio e mescola di tanto in tanto. Aggiusta di sale poi distribuisci nelle ciotole, versa lo yogurt sopra, cospargi con le foglie di coriandolo e servi subito.

Valori nutritivi per porzione: 184kcal, 8g proteine, 2g grassi, 34g carboidrati (4g fibre), 1g sale, 340% vitamina A, 134% vitamina C, 16% vitamina B1, 11% vitamina B3, 13% vitamina B6.

39. Verdure rosse al curry

Ti porterà via quasi un'ora di preparazione, ma questo profumato piatto Thai sicuramente terrà le tue papille gustative in azione. Ricco di sostanze nutritive, questo cremoso curry vegetariano ha la stoffa di un piatto unico, ma può anche essere servito con un po' di riso bollito per circa 175 kcal in più.

Ingredienti (2 porzioni):

70g Funghi, scottati

70g pisellini

½ zucchine, tagliate a tocchetti

½ melanzane, tagliate in pezzi

100g di tofu, tagliato a cubetti

200ml di latte di cocco in lattina, magro

1 peperoncino rosso (½ finemente tritato, ½ affettato a rondelle)

¼ pepe rosso, privato dei semi e tagliato a fettine

2 Cucchiai salsa di soia

Succo di 1 lime

1 cucchiaio di olio d'oliva

10g Foglie di basilico

½ cucchiaino zucchero di canna

Per la pasta:

3 scalogni, tritati grossolanamente

2 piccoli peperoncini rossi

½ citronella, tritata grossolanamente

1 spicchi d'aglio

10g semi di coriandolo

½ peperone rosso, privato dei semi e tagliato grossolanamente

scorza di ½ lime

¼ cucchiaino di radice di zenzero grattugiato

½ cucchiaino di coriandolo

½ cucchiaino di pepe macinato fresco

Tempo di preparazione: 30 min

Tempo di cottura: 20 min.

Preparazione:

Marina il tofu in metà del succo di lime, 1 cucchiaio di salsa di soia e il peperoncino tritato.

Metti gli ingredienti in un robot da cucina.

Scalda metà dell'olio in una padella, aggiungi 2 cucchiai di pasta e friggi per 2 minuti. Incorpora il latte di cocco con acqua, 50 ml, melanzane, zucchine e pepe. Cuoci fino a quando diventa tutto morbido.

Scola il tofu, asciugalo poi friggilo nell'olio rimasto in un pentolino fino a doratura.

Aggiungi il fungo, lo zucchero e la maggior parte del basilico, poi condisci con lo zucchero, il resto del succo di lime e la salsa di soia. Cuoci fino a quando i funghi saranno teneri, quindi aggiungi il tofu e scalda il tutto. Cospargi con il basilico, il peperoncino a fette e servi.

Valori nutritivi per porzione: 233kcal, 8g proteine, 18g grassi (10g saturi), 11g carboidrati (3g fibre, 7g zucchero), 3g sale, 13% calcio, 12% ferro, 14% magnesio, 11% vitamina A, 65% vitamina C, 15% vitamina B1, 21% vitamina B2, 12% vitamina B3, 22% vitamina B6.

40. Riso pilaf ai funghi e limone

Questo piatto di funghi pilaf con poche calorie è il tuo biglietto per un'alternativa più leggera al risotto. Getta una manciata di piselli per un piatto più colorato, e sentiti libero di sostituire l'erba cipollina con cipollotti, se vorrai.

Ingredienti (2 porzioni):

100g riso integrale

150g Funghi, a fette

250ml brodo di verdure

1 piccola cipolla, affettata

1 spicchio d'aglio, schiacciato

3 Cucchiai formaggio magro a pasta molle con aglio ed erbe

scorza e il succo di mezzo limone

mazzetto di erba cipollina, tritata

Tempo di preparazione: 10 min

Tempo di cottura: 30 min

Preparazione:

Metti la cipolla in una padella antiaderente, aggiungi alcuni Cucchiai del brodo e cuoci per circa 5 minuti fino a quando la cipolla sarà ammorbidita. Aggiungi l'aglio ed i funghi e cuoci per altri 2 minuti. Mentre il tutto si miscela, aggiungi il riso, la scorza di limone e il succo. Versa il rimanente brodo vegetale, condisci e porta ad ebollizione.

Abbassa il fuoco, copri il tegame e lascia cuocere a fuoco lento per 30 minuti fino a quando il riso sarà tenero. Mescola con la metà di erba cipollina e formaggio a pasta molle. Dividi tra 2 piatti e servi condito con il restante formaggio morbido ed erba cipollina.

Valori nutritivi per porzione: 249kcal, 12g proteine, 4g grassi (2g saturi), 44g carboidrati, 2g fibre, 4g zucchero), 11% vitamina A, 23% vitamina B2.

CAPITOLO 3: IN CHE MODO GLI ATLETI POSSONO TRARRE BENEFICIO DALLA MEDITAZIONE?

La meditazione può essere utilizzata dagli sportivi per motivi diversi: lo stress, l'ansia, la concentrazione, i nervi, ecc. Gli atleti possono beneficiare della meditazione guadagnando un ritmo più celere di recupero che è fondamentale quando cercano di spingere loro stessi al livello successivo come prestazioni. Le sessioni di allenamento saranno più intense e di qualità superiore grazie al livello di concentrazione migliorato a causa della riduzione della fatica nei muscoli. La maggior parte degli atleti potranno notare una riduzione del nervosismo prima e durante la competizione che li aiuterà a competere meglio e con maggiore fiducia.

Una volta che inizierai a meditare in maniera regolare, troverai una maggiore capacità di concentrazione e di messa a fuoco, quando arriverà il momento di lavorare sotto pressione e in condizioni impreviste. Aumentando la capacità di concentrazione arriverai ad un livello ancora più elevato di prestazioni.

Gli atleti con il rischio di malattie cardiache possono beneficiare in modo significativo della meditazione. I medici possono prescrivere più meditazione e meno farmaci, che può essere visto come la normalità per alcuni e cambiare la vita ad altri. Semplicemente riducendo la quantità di stress alla quale un atleta è esposto a ogni giorno ad una minore pressione arteriosa, migliorando contemporaneamente la competitività essendo in grado di effettuare allenamenti più intensi. Alcuni atleti hanno scoperto che la meditazione può spesso aiutare a controllare le abbuffate di cibo dovute allo stress, di cui si parla poco, ma che sono un grosso deterrente per le grandi prestazioni in campo. Gli atleti spesso riescono a prendere il controllo della propria vita dopo aver ripetuto molte sessioni di meditazione, che riducono lo stress come beneficio diretto, limitando indirettamente il rischio di malattie cardiache.

La perdita di peso è un obiettivo comune a causa della scarsa pianificazione di una dieta corretta, per mancanza di disciplina o per cattive abitudini. La meditazione può effettivamente aiutare a RIDURRE IL PESO quando l'eccesso di cibo è dovuto allo stress.

Gli atleti che cercano di cambiare le cattive abitudini avranno difficoltà a passare dai loro vecchi metodi per iniziare un nuovo percorso. Fumare, bere alcolici, nervosismo, arrabbiarsi, e altre abitudini negative possono essere controllate tramite la meditazione, e quindi anche a ridurre l'appetito. Quando queste cattive abitudini si sono sviluppate a causa di rabbia e ansia, esistono alcune tecniche di respirazione atte alla concentrazione per il superamento dei propri scogli interiori, ed è una tecnica molto potente che è meno evidente ma molto rilevante, in questi casi.

Gli atleti che soffrono di depressione o ansia soffrono anche di stress in quanto è un connubio dei primi due. Pessimi stati di salute possono essere notevolmente migliorati attraverso la pratica della meditazione su base regolare. Quando pratichi la meditazione riuscirai ad avere un maggior controllo dell'umore e ti sentirai più positivo verso il futuro. Molti atleti si preoccupano troppo del risultato o degli esiti passati, che sono irrilevanti ai fini della competizione mentre dovrebbero prendersi del tempo per massimizzare il potenziale del momento attraverso una migliore nutrizione e la meditazione. Se il tuo obiettivo è quello di controllare i tuoi pensieri e le emozioni, ti accorgerai che meditare ti calma parecchio e ti permette di non sentirti sopraffatto da situazioni impegnative.

CAPITOLO 4: I MIGLIORI TIPI DI MEDITAZIONE NEL BASKET

Consapevolezza

Attraverso la consapevolezza, gli atleti dovrebbero riportare nel presente ogni pensiero che si insinua nelle loro menti.

Questo tipo di meditazione insegna a prendere coscienza dei tuoi modelli di respirazione, attraverso tecniche differenti, ma non cercherà in alcun modo di cambiarla. Questa è una forma passiva di meditazione, rispetto ad altre forme più attive che richiederanno un cambiamento nei modelli di respirazione. La consapevolezza è uno dei tipi più comuni di meditazione utilizzati nel mondo e dal quale tutti gli atleti possono trarre beneficio.

Meditazione Focalizzata

Gli atleti attraverso la meditazione dirigono i loro pensieri verso un problema specifico, un'emozione, o una questione che vogliono mettere a fuoco per trovare una soluzione.

Inizia a svuotare la mente da tutte le distrazioni e poi prenditi un po' di tempo per concentrarti solamente su un suono, un oggetto o un pensiero. Devi tentare mettere a fuoco il più a lungo possibile questo stato d'animo, dove potrai reindirizzare la tua concentrazione verso un obiettivo che vuoi raggiungere.

A te la scelta, se desideri lavorare attraverso un pensiero oggettivo, oppure focalizzarti su un suono iniziale, per poi passare ad altro.

Il movimento della meditazione

Si tratta di un'altra forma di meditazione che dovresti provare. Questo è un tipo di meditazione in cui ti concentri sui tuoi modelli di respirazione, spostando l'aria dentro e fuori i polmoni, mentre disegni in aria dei movimenti ripetitivi (con le mani). Potresti inizialmente sentirti a disagio muovendoti con gli occhi chiusi, ma con il tempo noterai che in realtà è molto rilassante e ti aiuterà a migliorare la tua salute generale.

Una mente connessa al corpo sarà ottimizzata in questo tipo di meditazione, soprattutto per le persone che hanno difficoltà a stare ferme e preferiscono muoversi con gesti fluidi e naturali. Questi movimenti devono essere lenti e ripetitivi. Più controllato sono, meglio è. Facendo movimenti rapidi, o violenti, annullerai il vantaggio di meditare.

Le persone che praticano yoga spesso trovano questa forma di meditazione ottima, come è un buon complimento, e simile alla respirazione yoga e agli esercizi di movimento. Entrambi migliorano il controllo su se stessi e sui pensieri. Per le persone che non hanno mai fatto yoga prima e hanno già fatto il movimento di meditazione, scopriranno che il riscaldamento con alcuni esercizi basati sullo yoga spesso possono aiutare a facilitare il movimento della meditazione. L'obiettivo è quello di entrare in uno stato meditativo più rapido e lo yoga permetterà sicuramente di farlo in modo naturale. Ma mentre lo yoga si concentra di più sul miglioramento della flessibilità e di sviluppare la forza muscolare, il movimento della meditazione è diretto verso uno stato mentale ed ai modelli di respirazione lenta.

Meditazione Mantra

Il Mantra aiuta a concentrarti meglio sui tuoi pensieri per liberare la mente e massimizzare l'effetto della meditazione.

Durante la meditazione mantra citerai il mantra più e più volte, per seguire questo processo meditativo.

Un mantra potrebbe essere un suono, una frase o una preghiera recitata più e più volte.

Non ci concentreremo sulla meditazione spirituale, che è un altro tipo di meditazione, oltre a quelli già citati.

Ognuno è diverso e quindi non dovrai concentrarti su un solo tipo di meditazione per raggiungere i tuoi obiettivi. Potrai utilizzare una o più forme di meditazione e in ordine diverso.

CAPITOLO 5: COME PREPARARTI PER LA MEDITAZIONE

Una volta che sai che tipo di meditazione eseguirai, è necessario sapere come prepararti per meditare. Assicurati di non avere fretta di giungere al processo di meditazione, altrimenti ne ridurrai certamente i benefici.

EQUIPAGGIAMENTO: Posiziona un tappetino, coperta, asciugamano, o la sedia dove si prevede di meditare.

Alcune persone preferiscono usare un asciugamano (che è ottimo quando si viaggia o fuori città), o un tappetino per sedersi o stare sulla schiena. Altri preferiscono sedersi su una sedia per avere una posizione stabile che ti aiuterà a non addormentarti se ti senti troppo rilassato.

Io preferisco sedermi su una stuoia di yoga in quanto è una posizione che ritengo mi aiuti a concentrarmi ed a rilassarmi. A volte mi scaldo con lo yoga o lo stretching statico così ho già la mia stuoia pronta, ma quando sono in viaggio utilizzo semplicemente un telo abbastanza grosso.

Stare comodi è molto importante per essere nel giusto stato d'animo, per partire nel modo e con l'attrezzatura più corretti.

TEMPO: Decidi in anticipo quanto tempo dedicherai alla meditazione

Assicurati di decidere in anticipo per quanto tempo hai intenzione di meditare, e con quale scopo. Per qualcosa di semplice come la concentrazione sui pensieri positivi o sulla respirazione, è possibile pianificare una breve sessione di circa 5 - 15 minuti. Mentre se hai intenzione di concentrarti su un problema e vuoi cercare di trovare una soluzione, potresti dover pianificare una sessione abbastanza lunga, per rilassarti e quindi concentrarti sulle varie soluzioni alternative al problema contingente. Questo potrebbe richiedere dai 10 minuti a un'ora o più, a seconda del tuo livello di esperienza nella meditazione o può anche dipendere da quanto tempo ti ci vuole per arrivare ad uno stato d'animo rilassato che ti permetterà di mettere a fuoco abbastanza bene il problema.

Prenditi cura di possibili distrazioni in anticipo, come ad esempio: la fame, i bambini che entrano in stanza, andare in bagno, ecc. Potrai così rimanere nella stessa posizione fino alla fine.

POSIZIONE: Trovare uno spazio pulito, tranquillo e confortevole per meditare

Trova un posto dove ti puoi rilassare completamente e liberare la mente senza interruzioni. Questo può essere ovunque ti trovi bene e dove potrai raggiungere questo stato d'animo rilassato. Potrebbe essere sul prato in un parco, a casa nella tua camera, in bagno, in una stanza vuota e tranquilla, o da solo in auto. Questo è completamente a tua scelta. Assicurati di non scegliere un luogo dove qualcuno lavora vicino a te o dove ci può essere un cellulare che continua a squillare o vibrare. Spegni il tuo smartphone! E' impossibile ottenere i risultati desiderati avendo distrazioni costanti e oggi come oggi le principali distrazioni sono proprio i telefonini.

La posizione scelta dovrebbe avere queste cose in comune: tranquilla, pulita, e deve essere a temperatura ambiente fresca (troppo caldo ti farà addormentare e troppo freddo ti farà muovere continuamente), e senza distrazioni.

PREPARAZIONE: Prepara il tuo corpo per meditare

Prima di meditare assicurati di fare tutto ciò che è necessario per avere un corpo rilassato e pronto. Potrebbe essere una bella doccia rilassante, o indossare abiti comodi ecc.

Assicurati di mangiare almeno 30 minuti prima di iniziare in modo da non sentire la fame o avere lo stomaco troppo pieno. Un pasto leggero sarebbe l'ideale come preparazione. L'importanza della nutrizione corretta sarà trattata in un altro capitolo.

RISCALDAMENTO: Pratica lo Yoga o lo stretching in anticipo per iniziare a rilassarti.

Per alcuni che hanno già fatto yoga in passato, è già noto quanto possa essere rilassante. Per chi non ha mai fatto yoga, sarebbe un buon momento per iniziare dal momento che porterà ad un rilassamento più veloce. Non è necessario fare yoga prima della meditazione ma aiuterebbe al fine di massimizzare gli effetti e di accelerare il processo di distensione per iniziare con il giusto stato d'animo. Lo stretching è un'altra buona alternativa, in quanto l'allungamento dei muscoli combinato con alcuni esercizi di respirazione ti aiuterà a calmarti ed a sentirti a tuo agio.

MENTALITA': Fai qualche respirazione profonda per iniziare a calmarti

La respirazione è facile, ma praticarla richiede più tempo. I benefici delle tecniche di respirazione sono molteplici.

La maggior parte degli atleti si troveranno a recuperare più velocemente dopo momenti intensi. Essi potranno anche notare che sono in grado di rimanere concentrati anche quando hanno il fiatone. Gli atleti hanno bisogno di imparare a respirare! Gli atleti devono concentrarsi sul movimento dell'aria dentro e fuori ai polmoni, prestare attenzione al modo in cui il corpo si espande e si contrae. Devono sentire l'aria che si muove dentro e fuori il naso e la bocca, questo ti aiuterà a sentirti più rilassato ed è il modo corretto di concentrarsi sulla respirazione. Ogni volta che inspiri ed espiri devi concentrarti ed entrare in uno stato di profondo rilassamento. Ogni volta che l'ossigeno riempie i polmoni, il tuo corpo si sente più eccitato e pieno di emozioni positive.

AMBIENTE: Aggiungi un po' di musica meditativa o rilassante in sottofondo solo se non diventa una distrazione.

Se la musica meditativa ti aiuta a ottenere uno stato di rilassamento inseriscila nella tua sessione di meditazione. Tutto ciò che ti consente di ottenere uno stato più concentrato e rilassato deve essere utilizzato, compresa la musica.

Se ti senti in grado di liberare la mente senza suoni o musiche, allora non aggiungerli al tuo ambiente meditativo.

Io di solito non aggiungo la musica semplicemente perché trovo che mi porti in altre direzioni dove non sempre ho voglia di andare, dal momento che alcuni tipi di musica mi riportano ad altri pensieri e idee. Questo vale solo per me, ma forse non per te. Prova entrambe le opzioni per vedere cosa funziona meglio per te. Alcuni atleti ascoltano la musica prima della competizione in quanto ritengono che li faccia rilassare o che crei la giusta atmosfera. Trova quello che funziona per te e seguilo.

POSIZIONI PER MEDITARE

Quando si tratta di meditare, la posizione è fondamentale. Non vi è alcuna posizione giusta o sbagliata, solo quella che ti fa stare più concentrato. Alcune persone preferiscono stare sedute su una sedia per avere maggiore supporto alla schiena, altri preferiscono stare per terra sopra un asciugamano.

Per le persone che sono meno flessibili la posizione del loto potrebbe essere sbagliata, per non sentirsi troppo a disagio nel mantenerla per un lungo periodo di tempo. Ancora una volta, assicurati di rimanere nella stessa posizione per tutto il tempo, oppure scegli un'altra posizione.

Posizione seduta

Trova semplicemente una sedia comoda che ti permetta di concentrarti senza provare disagio e senza eccedere nel rilassamento, evitando il rischio di addormentarti. Tieni la schiena diritta ed i piedi sul pavimento, per evitare dolori futuri. Alcune persone preferiscono aggiungere un cuscino morbido alla seduta per sentirsi più a loro agio.

In ginocchio sul pavimento

Devi stare senza scarpe e senza calzini per inginocchiarti a terra. Posizionati sopra un panno morbido, con le anche sopra i talloni e le dita dei piedi che sfiorano il pavimento.

La schiena deve essere dritta e rilassata permettere ai polmoni di espandersi e contrarsi quanto necessario. Devi creare una forte connessione attraverso la respirazione, e per fare questo, l'aria deve andare dentro e fuori i polmoni con un movimento fluido.

Posizione del Birmano

La posizione birmana è simile ad una posizione di stretching a farfalla ma con una modifica ai piedi. Siediti sul pavimento e apri le gambe, poi piega le ginocchia portando i piedi verso la parte interna delle gambe. Un piede dovrebbe essere di fronte all'altro. Le ginocchia dovrebbero stare verso il basso. Se non ti trovi a tuo agio, scegli un altro tipo di posizione, tra le varie opzioni. Le mani devono stendersi lungo i fianchi oppure tenendosi incrociando le dita. La schiena deve essere dritta e la fronte inclinata leggermente verso l'alto e in avanti per consentire di prendere aria e rilasciarla in maniera piena e totale. Si tratta di una posizione di meditazione avanzata, quindi non è necessario iniziare con questa a meno che non ti senta completamente a tuo agio.

Posizione del Lotus

La posizione del Lotus è molto simile alla posizione precedente ma con una piccola modifica. Avrai bisogno di portare i piedi verso la parte superiore delle cosce, le mani avranno la stessa posizione rispetto a quella del Birmano.

Le mie ginocchia mi fanno male in questa posizione e quindi non la utilizzo nelle mie sessioni, ma sei libero di provarla finché non ti causa dolore fisico. Se senti dolore sarai distratto e non riuscirai a respirare in modo calmo e controllato. Se non ti piace questa posizione, è sufficiente selezionarne un'altra.

Posizione supina

Adagiati sul tappeto, asciugamano, o coperta e rilassa i piedi e le mani. Le mani devono stare lungo i fianchi ed i piedi verso l'alto o verso l'esterno. Le mani possono essere posate sullo stomaco in modo delicato, oppure lungo i fianchi. La testa deve rimanere di fronte al soffitto o al cielo. Se la inclini da un lato, non riuscirai a mantenere la concentrazione per tanto tempo e ti potrebbe far male al collo. Questa è una posizione ideale per meditare (se fatta correttamente) a meno che non ti faccia addirittura addormentare. Nel caso, cambia posizione.

Posizione Farfalla

In questa posizione è necessario sedersi sul tappeto o un asciugamano, aprire le gambe e poi unire le piante dei piedi una contro l'altra. Le ginocchia possono puntare più verso l'alto o verso il basso, non importa, basta stare comodi e rilassarsi. La spina dorsale deve essere diritta.

CAPITOLO 6: LA MEDITAZIONE PER I MASSIMI RISULTATI NEL BASKET

Quando visualizzi e vuoi raggiungere il massimo dei risultati è necessario attenerti alla seguente procedura, ogni volta. Se modifichi o elimini qualsiasi passo, finirai per cambiare l'esito della sessione di visualizzazione.

Questi passaggi sono:

1°: Trova un posto tranquillo dove non sarai disturbato.

2°: Posiziona un tappetino, asciugamano, coperta, o una sedia su cui prevedi di meditare.

3°: Assicurati di fare un pasto leggero o uno spuntino circa un'ora prima di meditare.

4°: Scegli una posizione in cui starai comodo per l'intera sessione. Questa potrebbe essere: seduto su una sedia, sdraiato su una stuoia, seduto in posizione birmana, Lotus o posizione farfalla, in ginocchio su una stuoia, o qualsiasi altra posizione comoda.

5°: Inizia con un modello di respirazione. Se vuoi calmarti e rilassarti dovresti scegliere di inspirare più aria dentro e poi fuori (a meno che ti non stia facendo meditazione di consapevolezza, dove non si dovrebbe cercare di controllare il respiro, ma invece semplicemente sentire l'aria che entra nei polmoni e poi fuori.). Ad esempio, inspira in 4 secondi e poi espira per 6 secondi. Quando cerchi di eccitare te stesso, perché ti senti troppo rilassato o appena sveglio, devi respirare più velocemente, scegliendo i tempi anticipatamente. Ad esempio, inspira per 5 secondi ed espira per 3 secondi. Ricorda che ogni sequenza di respirazione deve essere ripetuta almeno 4 o 6 volte per consentire alla mente di rallentare ed ottenere uno stato di calma, ottima per la meditazione. Per tutti i modelli di respirazione devi inspirare attraverso il naso ed espirare attraverso la bocca, ad eccezione della meditazione di consapevolezza.

6°: Una volta che hai finito di completare i tuoi modelli di respirazione nel modo spiegato nel capitolo modelli di respirazione, dovresti cominciare a concentrarti su qualcosa che desideri ottenere, raggiungere, o semplicemente immaginare nella tua mente. Focalizzati su questo più a lungo possibile. Le sessioni brevi danno risultati più brevi mentre le sessioni più lunghe tendono a aiutare a mantenere questo livello di concentrazione, anche dopo che hai finito di meditare. Tutti gli atleti sanno che quando è il momento di giocare, (soprattutto quando sono sotto pressione), hanno bisogno di rimanere concentrati e devono essere in grado di farlo per un periodo di tempo più lungo, per vincere la competizione. **Questa è la differenza tra i campioni e tutto il resto!**

7°: Questo pensiero deve ora evolvere in un filmato mentale breve o lungo che si creerà nella tua mente per aiutarti a raggiungere ciò che desideri visualizzare, con l'obiettivo di far finalmente accadere quella situazione di vita reale. Sii il più specifico possibile e rimani rilassato durante il processo. Questo settimo punto aggiunge la visualizzazione al processo, ma non c'è niente di sbagliato in questo, e si può solo trarne vantaggio, ma è necessario se si desidera di mantenere le cose abbastanza semplici.

8°: Gli atleti hanno bisogno di praticare la respirazione per terminare le loro sessioni di meditazione, così fine come hanno iniziato. Se non devi affrontare competizioni, puoi utilizzare un modello di respirazione lenta, come il seguente esempio:

Modello di respirazione lenta normale: Inizia inspirando l'aria attraverso il naso lentamente e contando fino a 5. Poi, rilasciala lentamente contando da 5 a 1. Dovresti ripetere questo processo da 4 a 10 volte finché non ti senti completamente rilassato e pronto a concentrarti. Gli atleti dovrebbero concentrarsi sulla respirazione attraverso il naso e la bocca per questo tipo di modello di respirazione.

Se invece devi competere nello stesso giorno, dovresti stimolare corpo e mente, utilizzando i modelli di respirazione veloce, come quello qui sotto:

Modello di respirazione veloce normale: Inizia prendendo l'aria attraverso il naso lentamente e contando fino a 5. Poi, rilasciala lentamente contando indietro da 3 a 1. Dovresti ripetere questo processo da 6 a 10 volte finché non ti senti completamente rilassato e pronto a meditare. Gli atleti dovrebbero concentrarsi sulla respirazione attraverso il naso e la bocca per questo tipo di modello di respirazione.

CAPITOLO 7: TECNICHE DI VISUALIZZAZIONE PER MIGLIORARE I RISULTATI NEL BASKET

I tre principali tipi di tecniche per la visualizzazione:

Ci sono molti tipi di visualizzazioni che possono essere eseguite. Tre tipi comuni sono le visualizzazioni motivazionali, per la risoluzione dei problemi e orientate agli obiettivi.

Gli atleti in tutti i settori utilizzano comunemente le visualizzazioni in un modo o nell'altro a volte senza nemmeno sapere che lo stanno facendo. Alcuni lo fanno da svegli, altri durante il sonno, quello che comunemente viene definito sogno, ma senza alcun controllo sul risultato.

Quando si sta visualizzando si sta controllando tutto ciò che stai vedendo nella tua mente e sarai in grado di progettare l'inizio e la fine della visione come più ti piace. Essere creativi è utile in quanto le cose non sempre vanno nel modo in cui le intendiamo nella vita reale, ma preparandoti mentalmente ed emotivamente su tutti i risultati possibili, le cose diventano più facili da gestire quando arriva il momento di eseguirle. Il culmine della prestazione è un termine usato per quando si è "sul pezzo" e al tuo meglio. E' più facile essere al top quando hai preparato la tua mente attraverso le visualizzazioni.

Perchè visualizzare per motivare te stesso?

Alcune persone hanno difficoltà a trovare la giusta motivazione sotto pressione, e si intimidiscono di fronte alle persone che li osservano, invece di concentrarsi sull'obiettivo. Per motivare te stesso attraverso la visualizzazione devi convincerti di fare del tuo meglio e spingerti oltre le tue capacità per arrivare alla performance desiderata, devi immaginare tutto ciò che vorrai fare nella tua mente, per sbloccare il tuo cervello ed allontanare ansia, nervosismo, paura e la pressione che ti attanaglia durante la competizione.

Quali sono le visualizzazioni per la risoluzione dei problemi?

Le visualizzazioni per il problem solving sono una forma comune di allenamento mentale e possono essere le più utili di tutte le tecniche di visualizzazione. Spesso, gli atleti continuano a fare gli stessi errori più e più volte solo per arrivare allo stesso risultato. Questo succede perché hanno bisogno di prendere del tempo per analizzare la situazione e per ricercare tutte le possibili soluzioni ai loro problemi. Basta trovare il tempo di visualizzare e sarà tempo ben speso quando è necessario per risolvere un problema specifico. Avere troppe distrazioni durante il giorno, sia mentali che visive, può rallentare la velocità con cui si potrebbe trovare una soluzione a ciò che si desidera correggere. Potrebbe essere un'abitudine di cui non ti sbarazzerai più. Può anche essere che alcune situazioni tirano fuori il peggio di te. Altre volte può essere che si perde la calma o si diventa troppo emotivi quando è necessario mantenere la calma.

Ci sono molte possibili situazioni nelle quali un atleta può essere in difficoltà e non sa come affrontarle e questo è il motivo del mancato successo.

Il **primo passo** è quello di trovare il tempo per risolvere problemi e visualizzare.

Il **secondo passo** per la soluzione dei problemi è quello di determinare quale sia il problema e come si sta affrontando.

Il **terzo passo** è quello di trovare soluzioni alternative che possano farti prendere nella giusta direzione o che possono eliminare il problema. In alcuni casi, potrebbe essere necessario chiedere ad altri che sono stati in situazioni simili e scoprire come si avvicinavano questo problema e se la loro soluzione potrebbe diventare un'opzione per te.

Il **quarto passo** è quello di visualizzare come si potrebbe fisicamente eseguire questa soluzione e renderla il più vivido e reale possibile.

Il **quinto passo** è quello di fare le correzioni del caso e trovare un'alternativa. Si può anche semplicemente applicare la soluzione nella vita reale, e se non funziona tornare alla visualizzazione più tardi per trovare una soluzione migliore. Questo è più di un metodo di tecnica di visualizzazione "trial and error", ma può essere utilizzato come uno strumento pratico per arrivarci attraverso la combinazione delle visualizzazioni.

Quali sono le visualizzazioni orientate all'obiettivo

Sono immagini mentali e film che puoi crearti nel cervello e concentrarti sul raggiungimento di un obiettivo specifico. Questo potrebbe essere: vincere un concorso, migliorare i tempi, allenarti più ore al giorno, aggiungere più proteine alla tua dieta, non stancarti tanto (alcuni di questi sono obiettivi basati sulle prestazioni, altri invece sono di vita quotidiana, ma entrambi sono importanti quando si pianifica la sessione di visualizzazione.)

Quando ti alleni fisicamente, è per vedere i risultati alla fine di tutto il duro lavoro svolto. Se utilizzerai anche la visualizzazione, il tuo allenamento sarà completo, portando a termine anche l'ultima parte dell'esercizio prima della competizione. Devi preparare corpo e mente per lavorare al massimo. La nutrizione e l'allenamento fisico prepareranno il tuo corpo. La meditazione, la respirazione, e la visualizzazione allenano la tua mente. La combinazione di entrambi ti darà il massimo vantaggio competitivo, che di certo desideri.

CAPITOLO 8: TECNICHE DI VISUALIZZAZIONE: VISUALIZZAZIONI MOTIVAZIONALI

Imparare a trarre ispirazione

Riuscire ad ispirarti vedendo il tuo successo attraverso le visualizzazioni è una grande forza per sperimentare e un effetto meraviglioso che le visualizzazione sono in grado di creare nella tua vita. Impara a trarre ispirazione e credere cose le cose sono possibili nella tua vita, perché riesci a visualizzarle. Gli atleti spesso si limitano perché non sognare abbastanza in grande. Con un po' di pianificazione e una certa disciplina molte cose sono possibili, non importa quanto difficili possano sembrare.

Quali sono le visualizzazioni motivazionali?

Le visualizzazioni motivazionali sono immagini mentali che ti creerai per essere fiducioso, raggiante, e di successo. Trai ispirazione per te stesso attraverso una positiva immagine di te amplificata e potente che può avere effetti a catena in altre parti della tua vita.

Quando visualizzi cerca di immaginare te stesso mentre raggiungi un obiettivo.

Queste sono alcune domande da chiedere a te stesso quando ti prepari ad eseguire visualizzazioni motivazionali:

- Come ti piacerebbe vestire durante la gara se potessi scegliere qualsiasi divisa, vestiti, o abbigliamento?

- Come ti piacerebbe camminare prima di competere se tu avessi tutta la fiducia del mondo?

- Quale sarebbe l'ambiente ideale per una gara?

- Quali espressioni facciali vorresti avere se dovessi vincere?

- Come vorresti essere guardato se hai perso 10 libbre di grasso e ti senti più snello, più veloce e più esplosivo?

- Come vorresti essere visto se ti senti più fiducioso?

- Cosa faresti se vincessi la competizione o avessi raggiunto il tuo obiettivo?

Vedi te stesso con un obiettivo di successo e se stai tentando di costruire il desiderio di raggiungerlo, in modo da avere tanta grinta per arrivarci. Devi avere una forte volontà di raggiungere i tuoi obiettivi per aumentare le probabilità di sfondare e realizzare la vittoria mentale che renderà possibile la vera vittoria.

Le visualizzazioni motivazionali possono essere utilizzate per scopi diversi nella tua vita personale, possono migliorare le prestazioni complessive nella tua vita atletica e soprattutto se stai cercando di levarti un vizio come il fumo, l'alcool, la rabbia o la paura incontrollabile, il cibo, le feste, il gioco d'azzardo, ecc.

CAPITOLO 9: TECNICHE DI VISUALIZZAZIONE: VISUALIZZAZIONI PER LA RISOLUZIONE DEI PROBLEMI

Le visualizzazioni dovrebbero essere fatte correttamente e dirette verso le migliori tecniche di risoluzione dei problemi. Per questo motivo la determinazione di cosa funziona meglio è il passo più importante. Per questo motivo stiamo andando a guardare come la maggior parte degli atleti affrontano i loro problemi.

Come si comporta la maggior parte degli atleti quando affronta la soluzione dei problemi?

Ci sono molti modi in cui gli atleti si avvicinano al problem solving. "Tentativo" è la parola chiave.

Questi sono gli esempi più spesso visti su come gli atleti affrontano la risoluzione dei problemi:

La soluzione rabbiosa

Si arrabbiano con i loro problemi e diventano frustrati al punto in cui il loro cervello aiuta poco o nulla perché sopraffatto dalle emozioni negative.

La rabbia è una reazione emotiva che è normale e comune, ma non necessariamente una soluzione che porta a risultati positivi. Quando si tenta di risolvere un problema, le emozioni devono essere accantonate in modo da poter concentrarsi sul vero problema che deve essere affrontato.

Gestire la rabbia è difficile per alcuni e può prendere tempo per lavorarci sopra, ma le attività specifiche come visualizzazioni, la meditazione, lo yoga sono un ottimo modo per iniziare.

La soluzione "colpa-del-gioco"

Gli atleti che incolpano gli altri per i loro errori o problemi fanno uno sforzo per non incolpare se stessi. Incolpare gli altri per i tuoi errori o problemi è la via più facile per giustificare la mancanza di successo, ma non risolve il problema.

Altri incolpano le loro attrezzature e / o altri elementi vicini senza considerare che i cambiamenti climatici interesseranno tutti i concorrenti e non solo loro. Incolpare un guasto all'attrezzatura è un problema che può facilmente essere risolto. A volte il materiale potrebbe non avere tutti i difetti che pensi ed è solo un modo di incolpare qualcosa di diverso da se stessi. Assumersi la responsabilità delle proprie azioni è la cosa più difficile, ma il modo più produttivo per passare a una vera soluzione.

La soluzione "piagnucolio"

Urlare e lamentarsi fa sentire la tua voce ad altri e a te stesso, ma ritarda solo il risultato inevitabile del fallimento dal momento che non sono state adottate misure per porre rimedio alla situazione. Questo tipo di reazione inizia in giovane età, quando non si ottiene ciò che si vuole, ma la cosa peggiore che può accadere è data dal lamento inutile che non consente di risolvere correttamente il problema.

Imparare a far fronte a una performance negativa dovrebbe essere un elemento chiave nello sviluppo della forza mentale. Diventare mentalmente duro non ti riesce bene perché hai avuto un percorso facile verso il successo. Non devi cedere davanti a risultati negativi e fallimentari.

La soluzione "stop-ai-tentativi"

Non fare alcuno sforzo per avere successo e fondamentalmente rinunciare è una scelta che alcuni atleti fanno, ma non è una scelta di cui essere orgogliosi in quanto esistono così tante opzioni migliori. L'addestramento del tuo cervello per trovare soluzioni alternative per riuscire, invece di rinunciare, sarà sempre un percorso migliore e una cosa più proficua.

La soluzione del "recidivo"

La ripetizione del reato avviene quando l'atleta continua a fare lo stesso errore più e più volte in attesa di un risultato diverso. Siamo stati tutti vittime di questo errore mentale, ma può diventare un punto di svolta per quelli che riconoscono questo difetto e vogliono fare un vero cambiamento nei risultati.

Semplicemente cambiando il modo di risolvere il problema è già di per sé un miglioramento, anche se non prende una direzione precisa, ma è un percorso diverso che ti darà la possibilità di cambiare le cose.

La soluzione "sperimenta e sbaglia"

La soluzione "sperimenta e sbaglia" ti stimola semplicemente a cercare nuovi approcci al problema per vedere se sono una soluzione al problema. Il risultato sarà che alla fine troverai la soluzione giusta per il tuo problema, ma potrebbe prenderti tanto tempo, più di quello che ti puoi permettere.

Si tratta di un approccio migliore rispetto alle ultime soluzioni però puoi imparare a fare scelte ancora migliori separando determinati fattori e condizioni e questo è quello che vedremo dopo.

La soluzione "migliore probabilità"

Quando applichi la risoluzione dei problemi, ti sarà ben chiaro a mente che le soluzioni possono essere molteplici, ma dovrai concentrarti su quella che potrebbe essere la migliore, senza perdere tempo.

Usando le probabilità potrai quantificare ciò che stai cercando di risolvere nella tua mente.

Ad esempio, scopri che ogni volta che ti riscaldi inizi ad innervosirti, ma non sai il perché. Alla fine, una volta completato il tuo riscaldamento il nervosismo se ne va e ti senti meglio. Ora, applicando la visualizzazione sul rendimento effettivo, non focalizzerai il problema "riscaldamento", che è il 90% del dilemma da risolvere. È possibile lavorare sulle tue prestazioni mentalmente ma trovare una soluzione al tuo problema sul riscaldamento ti fornirà i risultati più preziosi in quanto rappresenta il 90% del problema e si tradurrà in un miglioramento del 90% nella tua performance complessiva.

Un altro esempio potrebbe essere se scopri che ogni volta che ti trovi in una situazione di pressione ti blocchi e non giochi bene. Il peso di tale momento chiave incide per il 100% sui risultati passati. Le tue future sessioni di visualizzazione dovranno concentrarsi proprio sulla ricerca di soluzioni per quel momento chiave. In questo modo il tuo tempo speso sarà più produttivo.

Concentrandoti su ciò che conta di più segnerà il cambiamento più grande e ti farà imparare a concentrare e dirigere le visualizzazioni su ciò che ti aiuterà di più e non sui problemi di poco conto che, anche se risolti, non creeranno un vero e proprio miglioramento nei risultati.

CAPITOLO 10: TECNICHE DI VISUALIZZAZIONE: VISUALIZZAZIONI ORIENTATE ALL'OBIETTIVO

Risultati basati sugli obiettivi vs obiettivi basati sui risultati

Prima di iniziare qualsiasi visualizzazione orientata all'obiettivo si dovrebbe avere una chiara immagine di ciò che si vuole guadagnare dalla visualizzazione e quale sarà la strada migliore sarà per arrivarci.

Quali sono gli obiettivi basati sui risultati?

Sono semplici obiettivi che possono essere raggiunti facendo cose che sai che devi fare per avere successo. Questi possono essere fisici o mentali. Non guardare la gara o la famiglia e gli amici durante la partita è un grande esempio di un obiettivo basato sulle prestazioni per te stesso. Se sei in grado di raggiungere questo obiettivo dopo aver gareggiato allora avrai realizzato l'obiettivo di partenza e potrai concentrarti sugli obiettivi basati sui risultati.

Un altro esempio di un obiettivo basato sulle prestazioni è quello di concentrarsi sul rimanere calmo e respirare durante la competizione. Il raggiungimento di questo obiettivo, alla fine sarà il tuo obiettivo. Il raggiungimento di questo obiettivo ti aiuterà a ottenere il successo e realizzare il tuo potenziale. E' un obiettivo semplice e facile da ottenere per avere il controllo al 100%. Se non ce la fai la prima volta, se continui a provare alla fine ci riuscirai e potrai quindi creare un obiettivo basato sulla prestazione nuovo o diverso.

Questi sono altri esempi di obiettivi di performance che gli atleti possono avere:

• Fai 1 o più push-up ogni giorno.

• Fai Stretching per 10 minuti al giorno.

• Inspira se sei sotto pressione.

• Concentra gli occhi sull'obiettivo a portata di mano e non sui dintorni.

• Mantenere la calma quando la prestazione è scarsa.

• Maggiori energie quando ti senti di ghiaccio in situazioni difficili.

È possibile creare i propri obiettivi sulla base di prestazioni e renderli più difficili finché si raggiungono.

Quali sono gli obiettivi basati sui risultati?

Sono gli obiettivi che fai per te stesso che si concentrano sui risultati finali e non sul processo per arrivarci. Alcuni esempi di un obiettivo basato sui risultati è quello di vincere, per raggiungere la finale di un concorso, per sollevare "x" peso, per avere il miglior tempo, per arrivare primi, ecc. Gli atleti possono avere obiettivi diversi oppure raggiungere lo stesso obiettivo.

Alcuni esempi di obiettivi basati sui risultati che gli atleti possono avere:

- Vinci 5 campionati, prima della fine dell'anno.

- Supera un record mondiale.

- Arriva primo nel tuo Paese.

- Vinci la tua prima medaglia o trofeo.

- Aiuta la tua squadra ad arrivare in finale.

- Salta più in alto di quello che hai mai fatto prima.

- Esegui il tempo più veloce.

- Nuota il più lontano possibile.

- Raggiungi il traguardo prima di tutti gli altri.

Gli obiettivi basati sui risultati sono coerenti, organizzati, e gradualmente aumentano le prestazioni.

Se la visualizzazione è necessaria per visualizzare il successo si raggiungono la performance e obiettivi basati sui risultati. Puoi alternare giornate in cui ti concentri su uno e l'altro o semplicemente attenerti a obiettivi di performance prima di sentire che si stanno per raggiungere, per poi passare agli obiettivi basati sui risultati.

Avere obiettivi è la chiave per andare avanti e devono essere visualizzati almeno una volta alla settimana in modo da avere una chiara immagine di ciò che è il tuo lavoro per raggiungerli. E' il modo migliore per andare avanti e vedere te stesso avanzare attraverso il processo. Senza obiettivi non sarà necessario un percorso da seguire verso il successo. Focalizza questo percorso nella tua mente attraverso le visualizzazioni e quindi trasformalo in realtà, mettilo in pratica in allenamento o durante la gara.

CAPITOLO 11: TECNICHE DI RESPIRAZIONE PER MASSIMIZZARE LA TUA ESPERIENZA NELLA VISUALIZZAZIONE PER MIGLIORARE LE PRESTAZIONI

I modelli di respirazione saranno la chiave per impostare il ritmo della tua sessione di meditazione e anche per entrare in uno stato di iper concentrazione.

Con la consapevolezza si rimane maggiormente concentrati, ma dovrai essere anche consapevole del tuo respiro. Il tuo obiettivo non dovrebbe essere quello di controllare il respiro, ma di sentire semplicemente il passaggio di aria nei polmoni e poi al di fuori, nell'ambiente circostante. Il processo di respirazione dentro e fuori deve essere fatto solo attraverso il naso per questo specifico tipo di meditazione, ma non deve essere utilizzato per le altre forme di meditazione.

Per il resto, si vuole prestare attenzione a modelli di respirazione e mantenerli per tutta la sessione. Tutti i modelli di respirazione devono essere effettuati inspirando dal naso ed espirando dalla bocca (tranne quando si fa meditazione di consapevolezza).

Al fine di ottenere uno stato migliore, la frequenza cardiaca deve scendere, e per fare questo, la respirazione sarà essenziale. I modelli che si utilizzano faciliteranno questo processo per aiutarti a raggiungere i livelli più elevati di concentrazione. Con la pratica questi modelli di respirazione diventeranno parte di te. Decidi in anticipo se i modelli di respirazione lenti sono migliori per te o se la respirazione veloce sarà quello che ti serve. I modelli di respirazione lenta rilassano mentre quelli di respirazione veloce eccitano.

MODELLI DI RESPIRAZIONE LENTA

Al fine di rallentare la respirazione è necessario inspirare lentamente e trattenere l'aria per qualche tempo, per poi rilasciarla, sempre lentamente. Per gli atleti, questo tipo di respirazione è ottima per rilassarsi dopo l'allenamento o circa un'ora prima della gara. Diverse sessioni di respirazione lenta influenzeranno il tuo livello di relax, e anche la capacità di raggiungere un livello ottimale di meditazione.

Modello di respirazione lenta normale: Inizia inspirando l'aria attraverso il naso lentamente e contando fino a 5. Poi, rilasciala lentamente contando da 5 a 1. Dovresti ripetere questo processo da 4 a 10 volte finché non ti senti completamente rilassato e pronto a concentrarti. Gli atleti dovrebbero concentrarsi sulla respirazione attraverso il naso e la bocca per questo tipo di modello di respirazione.

Modello di respirazione lenta estesa: Inizia prendendo l'aria attraverso il naso lentamente e contando fino a 7. Poi, rilascia l'aria lentamente contando indietro da 7 a 1 espirando attraverso la bocca. Dovresti ripetere questo processo da 4 a 6 volte finché non ti senti completamente rilassato e pronto a meditare.

Modello di respirazione lenta per gli atleti iperattivi: Inizia prendendo l'aria attraverso il naso lentamente e contando fino a 3. Poi, rilasciala lentamente contando indietro da 6 a 1 espirando attraverso la bocca. Dovresti ripetere questo processo da 4 a 6 volte fino a quando ti senti rilassato e pronto a meditare. Questo modello ti costringerà a rallentare completamente. L'ultima ripetizione di questa sequenza deve terminare con 4 secondi dentro e 4 secondi fuori per stabilizzare la respirazione.

Modello di respirazione ultra lento: Inizia prendendo l'aria attraverso il naso lentamente e contando fino a 4. Poi, rilasciala lentamente contando indietro da 10 a 1 espirando attraverso la bocca. Dovresti ripetere questo processo da 4 a 6 volte finché non ti senti completamente rilassato e pronto a meditare. Questo modello ti costringerà a rallentare gradualmente. Le ultime 2 ripetizioni di questa sequenza devono terminare con 4 secondi dentro e 4 secondi fuori per stabilizzare la respirazione e l'equilibrio dell'aria.

Stabilizzare i modelli di respirazione prima di meditare: Questo è un buon tipo di modello di respirazione che deve essere utilizzato se ti senti già calmo e desideri iniziare immediatamente meditare. Inizia prendendo l'aria attraverso il naso lentamente e contando fino a 3. Poi, rilasciala lentamente contando indietro da 3 a 1. Dovresti ripetere questo processo da 7 a 10 volte finché non ti senti completamente rilassato e pronto a mettere a fuoco. Gli atleti dovrebbero concentrarsi sulla respirazione attraverso il naso e la bocca per questo tipo di modello di respirazione.

MODELLI DI RESPIRAZIONE VELOCE

I modelli di respirazione veloce sono molto importanti per gli atleti, al fine di essere eccitati e pronti a competere. Anche se questo tipo di modello di respirazione è più efficace durante la visualizzazione, sarà altrettanto utile per la meditazione. Per gli atleti che sono molto tranquilli e hanno bisogno di sentirsi più forti nella loro mente potrebbero utilizzare questi modelli per arrivare pronti alla meditazione.

Modello di respirazione veloce normale: Inizia prendendo l'aria attraverso il naso lentamente e contando fino a 5. Poi, rilasciala lentamente contando indietro da 3 a 1. Dovresti ripetere questo processo da 6 a 10 volte finché non ti senti completamente rilassato e pronto a meditare. Gli atleti dovrebbero concentrarsi sulla respirazione attraverso il naso e la bocca per questo tipo di modello di respirazione.

Modello di respirazione veloce prolungato: Inizia inspirando aria attraverso il naso lentamente e contando fino a 10. Quindi, rilasciala lentamente contando da 5 a 1 espirando attraverso la bocca. Si dovrebbe ripetere questo processo per 5 o 6 volte finché non ti sentirai completamente rilassato. Se hai difficoltà a contare fino a 10 in un primo momento, è sufficiente abbassare il conteggio a 7 o 8. Concentrati sulla respirazione attraverso il naso e butta fuori l'aria attraverso la bocca.

Modello di respirazione veloce pre-gara: Inizia prendendo l'aria attraverso il naso lentamente e contando fino a 6. Poi rilasciala rapidamente in un fiato espirando attraverso la bocca. Dovresti ripetere questo processo 5 o 6 volte finché non ti sentirai completamente rilassato e pronto a mettere a fuoco i pensieri. È possibile aggiungere 2 ripetizioni a questa sequenza con 4 secondi dentro e 4 secondi fuori per stabilizzare la respirazione e l'equilibrio d'aria.

Tutti questi tipi di modelli di respirazione sono utili per aumentare il livello delle prestazioni e possono essere utilizzati durante la competizione, a seconda del livello di energia o nervosismo.

Per gli atleti che devono controllare il nervosismo prima della gara andranno meglio i modelli di respirazione lenta.

Per gli atleti che hanno bisogno di essere eccitati prima della gara è necessario utilizzare un modello di respirazione veloce.

In caso di ansia, l'alternanza di respirazione lenta e veloce ti darà ottimi risultati.

Durante le sessioni di allenamento o durante la competizione quando avrai una sensazione di respiro corto, utilizza il modello di respirazione veloce per recuperare fiato più velocemente.

I modelli di respirazione sono un ottimo modo per controllare i livelli di intensità che ti faranno risparmiare energia e ti permettono di recuperare più velocemente.

COMMENTI FINALI

Avere una preparazione ed una nutrizione organizzate, ed essere forti dal punti di vista mentale, può davvero fare la differenza. Prenditi del tempo per lavorare e sviluppare ogni aspetto di questo libro, otterrai quindi i migliori risultati e permetterai al corpo di adattarsi a questo nuova metodo di preparazione. Non sapere da che punto iniziare o cosa fare per apportare un cambiamento evolutivo è il motivo più comune che fa desistere la maggior parte delle persone, con la conseguenza che le prestazioni non tendono verso un miglioramento. Questo libro ti guiderà attraverso i punti più importanti di un programma di formazione completo e ti permetterà di raggiungere la tua forma "IDEALE".

ALTRI GRANDI TITOLI DI QUESTO AUTORE

The Ultimate Guide to Weight Training Nutrition: Maximize Your Potential

By Joseph Correa

Becoming Mentally Tougher In Bodybuilding by Using Meditation: Reach Your Potential by Controlling Your Inner Thoughts

By Joseph Correa

CPSIA information can be obtained
at www.ICGtesting.com
Printed in the USA
BVHW041033010620
580672BV00012B/683